U0065874

故事臺灣史 3

20個 奠基臺灣的關鍵地點

胡川安・總策劃

席名彥・著　慢熟工作室・繪

陳志豪（國立臺灣師範大學臺灣史研究所教授）・審定

作者序

獻給下一代的臺灣史

你知道 1950 年代的臺灣，沒有電視可以看的日子裡，連阿嬤也懂得「斗內」嗎？現在流行的歌唱節目，早在 1960 年代就有開山始祖「群星會」？永和又為什麼會成為豆漿的代名詞呢？每段歷史背後總有精采的故事。每個人都喜歡聽故事，但是卻不是每個人都喜歡讀歷史。因此希望這套《故事臺灣史》，是讀者的第一套臺灣史讀物，讓他們能在課本之外的地方還可以自己閱讀臺灣史的故事。

我們發現過去寫給小讀者的臺灣史故事，偏重從「編年」的角度看臺灣的過去，著重於各個時期的改朝換代，比較少著墨究竟是哪一些事件影響了現在的臺灣。但是臺灣在還沒有文字紀錄前，其實已經有許多族群在這座島上生活，也因為他們為臺灣加入不同養分，讓臺灣長成現在的樣子。

臺灣歷史的特殊性，只從「時間」切點是無法完全勾勒輪廓的。因此，我們嘗試在堅實的知識上，運用輕鬆的筆法描繪臺灣的過去，並加入了空間、人物和生活事物的故事介紹，從「人」、「時」、「地」、「物」來貫串在臺灣島上發生的事件，透過彼此之間相互聯繫，將臺灣的歷史更加豐富的呈現出來。

除此之外，我們也把視角拉出臺灣，從世界史的角度思考臺灣的定位，了解臺灣與世界的關係，因此《故事臺灣史 1:10 個翻轉臺灣的關鍵時刻》以時間為切點，挑選出十個臺灣的關鍵時代，介紹每個時期臺灣島上究竟發生了什麼事情，再想一想這座島嶼跟世界的關係，了解臺灣經歷了哪些改變，為什麼臺灣是現在這個樣貌，也有許多影響關鍵時刻的政治領導人物故事介紹。人物是歷史的靈魂，也是歷史的主體，因此《故事臺灣史 2：22 個改變臺灣的關鍵人物》希望可以讓讀者認識社會中各領域重要的歷史人物，從這些人物的生命故事中，了解他們在臺灣歷史發展的貢獻，窺見不同時期各領域發展的樣貌，希望豐富讀者對於臺灣歷史人物的認識。

《故事臺灣史 3：20 個奠基臺灣的關鍵地點》則想透過「地點」來探討臺灣歷史。地點決定了歷史的場景，空間架構了歷史的範圍。臺灣是個由山、海與平原組成的豐饒之島，從有歷史文獻記載開始，我們可以看見海洋、山林、丘陵與平原景觀的改變，這些變化就是臺灣不同族群與自然相互合作的結果。這本書從「自然地形」、「人文部落匯聚之地」、「六都的形成」三個方向探討臺灣歷史的發展。我們從整體島嶼的位置、形狀來討論臺灣的形象，接著從中心點的高山往沿海平原探索，認識這些「自然地形」造成哪些發展；在「人文部落匯聚之地」中，希望介紹不同的聚落發展緣由，從而認識臺灣島上為什麼會發展出不同的文化或商業模式、人文景觀；最後則介紹目前六都規畫的演變及歷史，讓小讀者可以對這些城市的過去與現在發展有一些了解，進而能主動去認識自己生活周遭的歷史。《故事臺灣史 4：22 個代表臺灣的關鍵事物》則從食衣育樂住行生活面來介紹各種事物的來歷，也可以反映臺灣的文化變化，與庶民生活史的發展。

歷史不只是過去發生的事情，還會與現實互動，從關鍵的時間點觀察臺灣史，可以發現臺灣島徘徊在不同的強權間，直到一百年前才漸漸有了自己的認同感。不過，書中所陳述的並不是臺灣歷史的全部，而是一把又一把鑰匙，希望藉此讓更多朋友認識臺灣的過去，面對臺灣的現在。隨著時代的改變，我們也要思考什麼樣的歷史觀點符合現在，甚至是未來的社會，以及臺灣的未來。

國立中央大學中國文學系助理教授

出場人物

藍鵲老師

年齡不詳，沒有人知道他從哪裡來，隨時隨地都拿著書不放，是個彷彿什麼都懂，什麼都知道的歷史專家。每到一個地方，都可以侃侃而談，說出屬於那裡的故事。

小安

11歲，一年級時曾搭鐵路小火車上阿里山玩，覺得那裡充滿神祕氣息，從此愛上鐵道旅遊。最喜歡做的事情是「吃東西」，只要有好吃的食物，什麼地方他都願意去！

彎彎

10歲，小安的鄰居。藍鵲老師是她和小安的祕密朋友。她最喜歡在週末時跟著藍鵲老師，四處旅行，了解臺灣的故事。

臺灣的身家資訊

北韓
南韓
日本
中國
馬祖
金門
澎湖
綠島
蘭嶼
菲律賓
除了臺灣本島外，綠島、
蘭嶼、澎湖、馬祖、金門都是
我的勢力範圍喔！
四周鄰居有中國、韓國、日本、
菲律賓及其他東南亞各國呢。

臺灣島全長1140公里。
臺灣島的身高，
從富貴角到鵝鑾
鼻395公里。
腰圍從濁水溪口到
秀姑巒溪口約140公里。
總面積36,193平方公里。

目錄

自然地形篇

人文部落匯聚之地篇

六都的形成篇

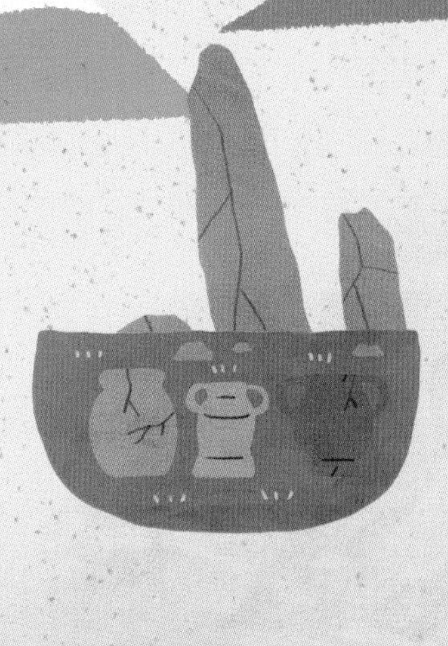

臺灣的關鍵地點：自然地形篇

§ 第一章 §

海洋裡的鯨魚之島——臺灣島的誕生

臺灣位於東亞，是一座四面環海的島嶼。有人說臺灣外型像番薯，也有人說臺灣的形狀像菜刀；葡萄牙人也曾把臺灣畫成一隻變形蟲，更有人說臺灣島就像是一尾躺在汪洋大海中的大魚，所以才有「鯤島」的別稱；甚至也有文學家形容它是一隻鯨魚，這麼特別的「臺灣」究竟是在什麼時候誕生的呢？

臺灣島之最

高山林立，是世界上高山最密集的島嶼之一

臺灣島必吃

珍珠奶茶、蚵仔煎、滷肉飯、牛肉麵、夜市小吃

臺灣島必遊

逛夜市、賞鯨、太魯閣國家公園、泡溫泉

臺灣島大事紀

❶ **約 600 萬年前至 200 萬年前** ▸ 臺灣在地殼上誕生。

❷ **2 萬 8000 年前** ▸ 史前人類在臺灣留下舊石器時代遺跡（長濱八仙洞遺址）。

❸ **1 萬年前** ▸ 海平面上升，臺灣形成封閉海島。

❹ **230 年** ▸ 史書記載名為「夷州」的海島，疑似為最早有關臺灣的文獻，但目前尚無法證實。

❺ **1540 年** ▸ 歐洲航海圖開始出現臺灣島，標註為「福爾摩沙」或「琉球群島」，形狀不一。

❻ **1582 年** ▸ 三名歐洲傳教士於臺灣擱淺，留下最早實際描寫臺灣景象的西洋文獻。

❼ **1603 年** ▸ 福建文人陳第寫下〈東番記〉，是最早實際描寫臺灣景象的中文文獻。

❽ **1625 年** ▸ 荷蘭人進行「環島航行」，畫出第一張完整的臺灣島圖《北港圖》。

❾ **1704 年** ▸《康熙臺灣輿圖》繪製完成，是現存最早以中文記錄的單幅彩繪臺灣全圖。

❿ **1904 年** ▸《臺灣堡圖》繪製完成，是第一套以現代測繪技術精確製作的臺灣全圖。

臺灣島的誕生

根據許多地質學家研究推測，大約在距今一億五千萬年前到一億年前，由於古太平洋板塊向歐亞板塊隱沒，造成亞洲東部大規模的火山噴發，而處於歐亞板塊邊緣大陸棚上的臺灣，拜古太平洋板塊巨大的擠壓力量之賜，原本堆積的巨厚沉積物被推擠隆起，形成最早的古臺灣島。

到了距今約八千萬年至六千五百萬年前，古太平洋板塊停止向西隱沒，不再受到擠壓的歐亞板塊，逐漸舒展形成張裂的環境，板塊邊緣上則形成許多陷落的沉積盆地。其後臺灣島及鄰近地區也逐漸沉陷成沉積盆地，今日在雪山山脈、西部麓山帶以及中央山脈西翼看見的巨厚沉積岩層，就是當時在大陸棚與大陸坡上的堆積物，這些海底盆地和沉積岩被海水淹沒；直到五千萬年前到二千萬年前，一部分的地殼隆起和海平面下降，使得「北港高地」露出水面，形成臺灣島陸地的一部分。到了六百萬年前，菲律賓海板塊與歐亞大陸板塊開始碰撞，新生的臺灣島便悄悄的在深海底下誕生了！隨著兩大板塊持續的造山運動，臺灣島也逐漸成長茁壯，浮現在海洋之中。

不過， 在距今兩萬五千年至一萬八千年前，由於全球進入冰河時期，海水面下降，導致臺灣海峽乾涸消失，因此，有一段時間臺灣島與歐亞大陸連成一大片，根據考古學家推測，當時有一些動物或人類就在這段時間跨越臺灣海峽，從歐亞大陸來到臺灣島。直到冰河期結束，臺灣島又回到四面環海的樣貌，島上有高聳的中央山脈，以及漸漸生長出蓊鬱的樹林……

先從說故事和畫地圖開始介紹臺灣吧！

你是否曾經好奇：以前的人沒有四通八達的交通工具，也沒有 Google 可以搜尋，怎麼知道臺灣是「一座海島」呢？真相是：其實，以前的人並不清楚。

直到人們創造了船隻，可以開始在海洋中航行之後，才漸漸發現臺灣是一座海島，後來隨著科技進步，也發展了不同的測量方法！先想像一下，如果你是西元前五千年來到臺灣島上生活的居民，或是那些隨著南北季風往返的閩南商人、遠從歐洲來到東亞做生意的貿易船長，在茫茫大海中，突然見到遠方有座青山聳立的臺灣島，你會怎麼描述它呢？

最早在臺灣生活的一些原住民是透過口述方式，描繪了有關這座島嶼的神話故事，代代傳誦。像是臺灣原住民神話中最常見的「大洪水」神話，或許可能是描述冰河時期結束時，海平面上升，原本居住在海洋陸棚的人則因為原居住地被淹沒，不得不打造船隻，漂流到較高的陸地居住。根據海洋考古研究，澎湖一帶的海域，曾發現虎井沉城與東吉嶼石牆的海底城，建築物的時間推測大概在七千年前到一萬年前之間，大約就是冰河時期。因此可以得知，部分神話可能都有其歷史根據。

有了文字紀錄後，一些中國沿岸的閩南商人彼此交換情報，陸續得知了有臺灣島的存在。部分歐洲貿易船長的「航海日記」中，也出現了「東亞海上，有一座叫『福爾摩沙』的美麗島嶼」等與臺灣島有關的紀錄。

不過，在眾多描繪臺灣的方法中，都沒有比「畫一張地圖」還要清楚的方式。其實打從十六世紀大航海時代開始，就有許多歐洲航海家和繪圖專家，努力畫出東亞海域的地圖。只是，當時的航海家可能沒仔細觀察過臺灣，因此許多繪圖專家畫出來的臺灣島都有點怪怪的——有的人把臺灣繪製在北回歸線附近；有的人則畫出一座像阿米巴原蟲的怪島；也有人畫成像三片餅乾一樣的小島，更有人只畫出西半部，或是畫成臺灣島橫躺的樣式。

不只這樣，歷代的紀錄中，連臺灣的名字都有好幾個：「福爾摩沙」、「大琉球」、「小琉球」、「流求」等，這些懸殊很大的資料紀錄顯示當時的歐洲人「跟臺灣不太熟」，繪圖家因此才繪製了與我們印象中不一樣的臺灣地圖。而這些跟實際狀況「差很大」的地圖，終於在荷蘭人治理臺灣時期，進行了一次「可能是史上第一次環島旅行」之後，有了轉變。

荷蘭人來到臺灣建立基地之後，曾派出兩艘船繞著臺灣島航行一圈，這才在

1625 年畫出比較接近真實樣貌的「臺灣島圖」。在這張地圖裡，可以看出臺灣是一座長條狀的海島，北端有峽角、南端有細長的半島；東岸有筆直的斷崖、西岸隆起弧形，有比較大的腹地。之後，隨著海圖繪製的進化，以及航海工具、測量工具的進步，才有越來越貼近真實的臺灣地圖。

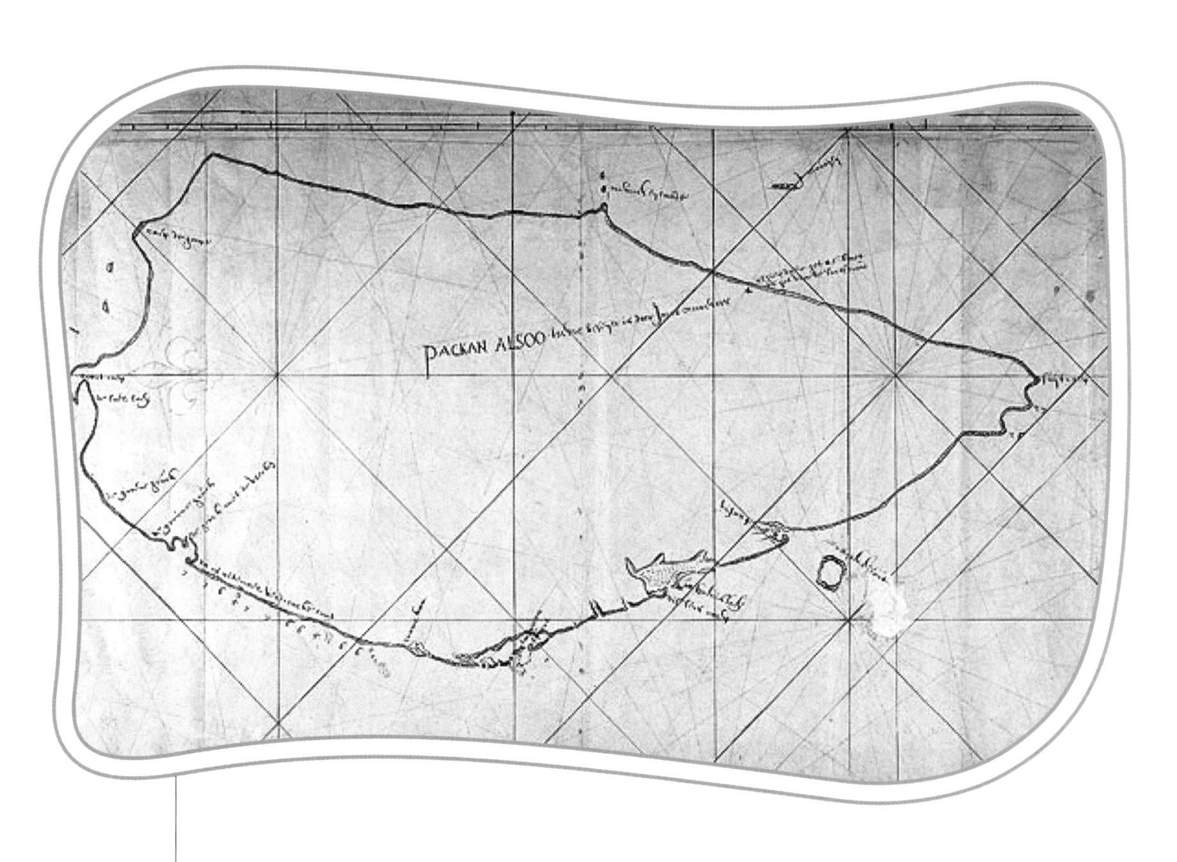

■ 1625 年由治理臺灣的荷蘭人所繪製的臺灣地圖。

臺灣是東亞必經之路

既然臺灣是一座孤立的海島，為什麼島上的文化卻這麼多元呢？這是因為它正好位在東亞海上最重要的必經之路，各個族群的人們在這裡交會，深深影響了臺灣的歷史發展。一開始是歐洲的西班牙和荷蘭這對世仇在島上互別苗頭，也因此留下不少建築與故事，這段期間更引進了不少物產。

接著，在鄭氏王國與清帝國治理時期，則有許多來自中國東南沿海的移民大量湧入臺灣，尋找新天地。不過，後來北邊的日本強大起來之後，打敗清帝國的軍隊，取得臺灣島作為向南方擴張的基地。二次世界大戰之後，治理臺灣的中華民國，和東亞其他的島嶼國家，被美國定位為太平洋冷戰的「第一島鏈」，得到軍事和經濟的支援。

這個四面環海的島嶼，吸引著四面八方的人群前來，加上位於關鍵的地理位置，使臺灣成為世界各國交鋒的場所，也形成今天豐富多元的臺灣文化，更因為各個時代不同種族的人來到臺灣開墾、生活，也在臺灣島上遺留下了多樣的足跡與影響。

§第二章§

臺灣的高山世界第一

臺灣是個多山的島嶼，島上山地丘陵遍布，占了臺灣總面積 70%，而山地主要的居住人口以南島語族的原住民族為主。整個臺灣島有五大山脈，分別是中央山脈、雪山山脈、玉山山脈、阿里山山脈和海岸山脈，其中，臺灣最高峰的玉山，正是臺灣的精神象徵。不過，你知道嗎？臺灣的高山密度可是世界之冠呢！

臺灣高山之最

標高 3952 公尺的玉山是東北亞最高峰

臺灣高山區必吃

自備登山乾糧或零食、山產餐廳

臺灣高山區必遊

阿里山、合歡山、雪山、玉山群峰、奇萊山、嘉明湖

臺灣高山區大事紀

❶ **約 500 萬年前** ▶ 臺灣島中央山脈浮出海面。

❷ **1697 年** ▶ 郁永河在《裨海紀遊》中寫下最早關於「玉山」的描述。

❸ **1840 年** ▶ 英國海軍在臺灣西部外海測繪玉山高度。

❹ **1875 年** ▶ 北、中、南三條開山道路貫通，其中中路經過玉山及中央山脈，現稱為「八通關古道」。

❺ **1896 年** ▶ 日本陸軍軍官長野義虎成為第一個留下玉山登頂紀錄的人。

❻ **1897 年** ▶ 明治天皇將玉山命名為「新高山」，意指日本帝國境內新的最高山。

❼ **1905 年** ▶ 「新高登山會」成立，鼓勵民眾參與登山活動。

❽ **1943 年** ▶ 位於海拔 3850 公尺的「新高山氣象臺」（今日玉山氣象站）完工，是東亞最高的氣象觀測站。

❾ **1972 年** ▶ 臺灣登山界選出「臺灣百岳」，標高皆在海拔 3000 公尺以上，成為登山愛好者目標。

❿ **1972 年** ▶ 《國家公園法》通過，陸續成立「玉山國家公園」、「陽明山國家公園」等。

臺灣的高山密度是世界第一

為什麼臺灣島上會有這麼多高山呢？臺灣島位於歐亞板塊與菲律賓海板塊之間，由於這兩個板塊不斷推擠並進行造山運動，不但促使臺灣島誕生，也造就了臺灣多山的地形。

早在清帝國治臺時期，第一任「臺灣府」知府蔣毓英就曾在《臺灣府志》中寫道：「臺灣的高山多到數不清。」臺灣島面積約 3.6 萬平方公里，但竟有超過 268 座三千公尺以上的高山，是世界上高山最密集的島嶼之一。

相較之下，日本的土地面積是臺灣十倍大，標高 3776 公尺的富士山雖聞名全球，但是日本境內超過海拔 3000 公尺的高山卻只有 21 座；英國高地雖多，但是沒有超過 3000 公尺的高山；而以高山雪景聞名的紐西蘭，土地是臺灣的七倍大，全國超過 3000 公尺的高山也只有二十多座。

在群山之中，最能代表臺灣的莫過於高聳入雲的玉山，甚至連新臺幣千元鈔票上更有它的蹤影，成為臺灣重要的精神指標，也是許多登山者與科學家紛紛造訪之地。原住民亦將玉山視為聖山，布農族更將玉山稱為「東谷沙飛」(Tongku Saveq)，在布農神話中，也描述著當大洪水來臨，玉山是族人最後的避難之地。

玉山差一點成為「超級山脈」？

究竟為什麼「玉山」會成為臺灣的精神指標呢？或許這與玉山的高度有關。根據地理專家研究，玉山曾經是一條高度超過一萬公尺的「超級山脈」，比高達 8848 公尺的世界第一高峰珠穆朗瑪峰還高！不過，後來因為板塊推擠得太劇烈，導致這條山脈發生嚴重的錯動，上半部向西邊滑落，形成「阿里山山脈」，另外一部分則成為「玉山山脈」。如果這個超級山脈沒有斷裂的話，世界第一高峰的頭銜，就非玉山莫屬了！雖然「變矮」了，但標高 3952 公尺的玉山仍是臺灣最高峰，也是東亞第一高峰。

玉山是由堅硬的石英砂岩構成，1697 年曾來臺的探險家郁永河在著作《裨海紀遊》中描述玉山：「玉山…白色如銀…此山渾然美玉……」；而蔣毓英的《臺灣府志》則形容玉山高聳，雲霧繚繞在上頭，而且遠遠看見它的山頭積雪白色如銀，就像一塊天然的美玉一樣，因此命名為「玉山」，由此可知，玉山的稱號從清帝國治理時期就已經存在。

不過，玉山其實還有別的名字呢！在其他的語言資料紀錄中，1857 年美國商船亞歷山大號曾來臺，當它由臺南安平離開臺灣時，船長摩里遜（W. Morrison）初次看到高聳的玉山，並將它記載於航海日記中，因而早期西方國家便以船長的名字稱玉山為「摩里遜山」（Mt. Morrison）。到了日治時期，來臺的日本人發現玉山比日本本島境內的最高峰「富士山」還要高，便把玉山命名為「新高山」，意思就是：這是日本帝國境內新的最高山。不過，目前國際普遍稱為「Mt. Jade」或拼音「Yushan」。

由於臺灣的高山奇險，風景優美，每年都吸引了不少觀光客前往旅遊或是登山。光是玉山國家公園，平均每年就約有一百萬人次造訪。為了推展登山活動，臺灣登山界人士更在 1970 年代，將註有山名、標高 3000 公尺以上選錄為「臺灣百岳」，成為許多登山者征服的目標。

為什麼原住民會移居交通不便的山區呢？

只是，臺灣聳立的高山地形也造成了東西部的交通很不方便，因此在清帝國治理時期，便建立三條橫貫臺灣本島道路，不過現今僅剩下連接南投縣竹山鎮與花蓮縣玉里鎮八通關古道能通行，而「八通關」的名稱源自於鄒族人稱玉山為「八通關」(patungkuonʉ)。只是高山如此不便，為什麼成為許多原住民族的居住地？他們又為什麼要離開相對平坦、生活又方便的平原或丘陵地區呢？

日治時期來臺的日本人類學家認為，那些高山原住民是受到平埔原住民及漢人驅趕，才躲避到深山裡的。不過，近年有學者研究原住民的口傳故事與考古遺跡後，提出了不同的看法——他們認為，山地原住民可能是為了尋求更好的生活，才進入高山生活。

原來，早在6500年前，臺灣沿海各地就有許多史前人類聚居。而當時天氣悶熱的臺灣，漫布著一種極為致命的疾病——瘧疾。感染瘧疾的人，會全身忽冷忽熱、頭暈嘔吐，甚至陷入昏迷，致死率相當高。就連日本政府治臺初期也因為多種傳染病與許多無法掌握的狀況，而稱臺灣為「鬼界之島」。直到十九世紀末，科學家才發現瘧疾是透過蚊子叮咬傳播，也開始有了防治與醫療對策。

但是當時的史前人類根本對付不了瘧疾這種捉摸不著的「瘴癘之氣」，只能想辦法遷移躲避。於是，他們沿著河流向上遷居，漸漸發現海拔較高的地方，好像比較不容易受到瘧疾侵襲——其實這是因為山區氣溫下降，病媒蚊蟲比較不容易生存，當然也就不會散播疾病。

這些史前人類找到了比較安全的居住環境，就是「山上」。山區雖然比較冷，但只要用火就可以克服，加上又有豐富的自然生態，可為他們提供充足的食物來源。因此，至少在3600年前，史前人類就已經在臺灣高山上展開新生活了。

這些史前人類，就是臺灣山地原住民的祖先。甚至在日治時期，日本人為了將原住民集中管理，要求他們遷往比較平地的地方時，不少部落裡耆老還因為害怕會招來傳染病而拒絕，可見住在高山也有不少好處呢！

§第三章§

臺灣群山打造了百年林業

你曾在旅行途中觀察過臺灣的山嗎？從遠距離眺望臺灣大多數的山，就像濃淡不一的水墨畫一樣，藏在朦朧雲霧之中，沒有清楚的輪廓。不過，如果有機會走進山區，你會發現這裡從低海拔的亞熱帶闊葉林到高海拔的溫帶針葉林，甚至是寒帶高原等林態，垂直分布、一應俱全。臺灣的山區具有豐富的森林，生態系非常多元，當然也順理成章成為山區開墾與林業開發的契機。

臺灣山區之最

林相豐富，從草原、闊葉林、針葉林皆有

臺灣山區必吃

放山雞等山產、原住民餐廳風味餐

臺灣山區必遊

挑戰爬百岳、城市近郊的郊山或登山步道、阿里山賞櫻

臺灣山區大事紀

❶ **1874～1885年** ▶ 清廷官員在臺灣推動「開山撫番」政策。

❷ **1905～1910年** ▶ 臺灣總督府執行「五年理蕃計畫」，平原至高山皆為統治範圍。

❸ **1910年至1915年** ▶ 臺灣總督府完成「林野調查」，為開發山林及高山資源預先做好準備。

❹ **1912年** ▶ 嘉義至阿里山森林鐵路完工，阿里山林場開始伐木。

❺ **1915年** ▶ 成立宜蘭太平山林場，隔年成立臺中八仙山林場，奠定臺灣三大開發林場。

❻ **1925年至1944年** ▶ 臺灣總督府持續進行「臺灣森林計畫事業」，前後共發現40個林業事業區，面積達149萬公頃左右。

❼ **1945年** ▶ 臺灣省行政長官公署設立「林務局」，接收臺灣總督府所有森林業務。

❽ **1963年** ▶ 最具代表性的阿里山林場停止伐木。

❾ **1975年** ▶ 設立阿里山及墾丁森林遊樂區，林業事業區開始轉型為森林育樂園區。

❿ **1991年** ▶ 林務局全面禁止砍伐天然林，維護森林環境，並經營生態林業。

由於受到海洋與季風影響，臺灣島的氣候溫暖潮溼，不過，高山與平地的氣候落差極大，大約每上升 100 公尺，氣溫就會下降 0.6 度，因此水氣很容易在山間凝結成霧，形成雲霧繚繞的景象。也因為豐富的水氣和霧氣，讓臺灣山區具有豐富的林態與生物資源。

不過，這些林區一開始只屬於居住在山林中或是林邊區域的原住民，對於早期渡海來臺的漢人而言，籠罩著迷霧的鬱鬱山林令他們感到神祕、不安，是充滿未知的險境，不可輕易接近，一旦進入，就可能與原住民起衝突，也因此這些山林變成難以管理及開墾的地帶。

從封禁山林到開山撫番

十七世紀，治理臺灣的清帝國為了防止來臺開墾的漢人與原住民發生衝突，並避免叛亂分子窩藏在山裡，於是在平地和山區之間的沿山地帶規定了一條「番界」，只要越過這條界線，就是原住民的領域，禁止漢人進入。不過，這樣的封禁政策並沒有澈底解決原漢衝突，就連外國人也時常與原住民發生衝突，甚至引發不可挽回的災難。像是 1867 年屏東排灣族殺害美國船難者，後來遭美軍報復的「羅發號事件」，以及 1874 年日本攻打臺灣南部原住民的「牡丹社事件」等。

於是，清帝國調整管理原住民的政策，改用「開山撫番」取代封山，打通三條穿越山林地、通往花東「後山」的道路。當時的欽差沈葆楨為防止外國人入侵占領番地，更急於打通前後山聯絡通道，分北路、中路、南路同時進行；其中北路由噶瑪蘭廳蘇澳至花蓮奇萊，共計 205 里；中路由彰化林圮埔至花蓮璞石閣，共計 265 里；南路則由屏東射寮至臺東卑南，共計 214 里。其中中路即是三路中至今僅存，被列為國定古蹟的八通關古道。不過，清帝國的開山政策，目的只是要控管原住民，對於臺灣山林的了解還是不多。

臺灣的山林「無盡藏」

直到日治時代，臺灣總督府以科學研究的精神和技術，進行全島的土地和山林大調查，臺灣山林的迷霧才漸漸被揭開。不過，日本帝國進行土地調查的目的，除了要確認土地的產權，以及林地是國有林還是私有林外，更是為了全面掌控統治權，希望能從平地到高山，完完全全統治整座臺灣島。他們除了透過軍隊征服深山的原住民，也派出很多學者來臺灣做研究，找出臺灣山林裡究竟有什麼樣的資源，能夠成為日本帝國的資產。尤其是那些特殊的「臺灣特有種」動植物，還有蓊鬱的森林，都是他們關注的焦點，其中利用層面最廣、經濟價值最高的資產，就是臺灣的高級木材。

■臺灣的林相分布。

日本人調查後，以武裝限縮原住民領域，並控制了可作為火藥和塑膠原料的樟腦。他們也在新竹、苗栗一帶發現一種乳藤（蓪草），汁液似乎可以做成橡膠的原料，因而林業開發風靡一時。加上一些山區滿布珍貴的臺灣檜木，讓進行臺灣森林資源調查的日本人曾讚嘆臺灣的山林「無盡藏」（意思就是無窮無盡的寶藏）。因為在日本文化中，他們特別喜愛在莊嚴的宗教建築上使用高級木材，因此在治理臺灣期間，每每要建造重要建築，也是沿襲這樣的傳統。

一開始他們所使用的高級木材，主要仰賴中國福建或是日本進口，不管是採買、運送都很費時費工，費用也很高昂。但是臺灣總督府在臺灣想要快速開展各種基礎建設，需要運用大量木材，剛好土地調查的人員在嘉義阿里山發現了一大片天然森林，其中更有許多千年以上的紅檜、臺灣杉、臺灣肖楠、臺灣扁柏等樹種，這些都是高級木材的原料，剛好可以作為基礎建設的棟梁，取代原先需要大量進口的日本木材。

於是從 1912 年開始，日本人在阿里山伐木長達 33 年，作業面積多達 9773 公頃，主要以柳杉、扁柏、紅檜等原生樹種。當時的《臺灣日日新報》報導，對阿里山木材更有高度評價，盛讚它不僅價格不貴，品質又優良，只要好好開發利用，以後臺灣再也不用進口木材。只不過這些高級木材多數用來投入臺灣基礎建設或運回日本，一般民眾可能較少有機會使用這些高級木柴，大都是砍伐普通可供柴火的樹種。

直到今天，我們在全臺灣各地保留的日治時代建築物中還能找到許多臺灣山林出產的高級木材蹤跡。像是臺北圓山的「臨濟護國禪寺」就是完全使用臺灣檜木建成；而日本東京供奉明治天皇靈位的明治神宮入口的大鳥居，也是用超過一千歲的臺灣扁柏建造而成。

臺灣三大林場開發促進經濟發展

除了嘉義阿里山林場之外，日本總督府還陸續開發了臺中八仙山和宜蘭太平山，當時人們透過溪流、空中索道、伏地索道與森林鐵路等多種方式，來運送高山上的珍貴天然木材。而且從深山的產地，到集貨的市鎮，都因為森林產業的興盛而繁榮起來，日治時代的嘉義市區、臺中豐原、宜蘭羅東，就是因為這三大林場的開發，而促進市鎮的成形。

在中華民國政府治理臺灣之後，也成立林務局，並在聯合國經濟顧問的建議下，繼續開發林業，計有宜蘭大同的大元山、花蓮秀林的太魯閣大山、苗栗南庄的鹿場山、新竹尖石的香衫山和蒲羅灣（今日內灣）、臺中的麻伊馬來、南投信義的望鄉山與巒大山、花蓮的木瓜山等十二座林場，全盛時期林場的面積廣達三十八萬公頃，是日治時期的二十一倍。

至於產量方面，根據林務局的官方統計，在 1918 年～ 1945 年的日治時期，臺灣的原木生產總量為 833 萬立方公尺；但中華國民政府接管臺灣後的 1946 ～ 1989 年，採伐原木總量高達 4496 萬立方公尺，總產量比起日本治理期間增加超過五倍。

這些由林務局直營的伐木、造林工作，年年產銷大量木材，雖然為臺灣的經濟貢獻良多，但長期下來也破壞了臺灣的山林生態。直到 1991 年 11 月，政府才立法全面禁伐天然林，將業務重心放在保育及經營生態林業。然而數十年來，臺灣森林遭到嚴重的砍伐破壞，累積起來的面積已超過三座玉山國家公園！儘管再怎麼「無盡藏」的森林，大概也難承受這樣無止盡的砍伐。幸好近年來「永續保護山林生態」的觀念已廣為大眾接受，臺灣這一大片傲視東亞的天然山林寶藏，也總算有了休養生息的契機。

阿里山森林鐵路

早在 1899 年，日本人就發現阿里山上蘊藏著豐富的森林資源，卻苦惱於一個大問題：阿里山森林在海拔 2000 公尺以上，就連日本本國都沒有開發過這麼高的森林，究竟該怎麼辦呢？

臺灣總督府決定找來當時東京大學的森林學博士——河合鈰太郎，負責研究一套開發辦法。為了克服高度差，河合博士帶領研究團隊，規劃出了一條登山鐵道，從嘉義市區出發，一路經過竹崎、樟腦寮、獨立山、紅南坑、交力坪、奮起湖、十字路、屏遮那，抵達阿里山上的二萬平車站。

這一條鐵路主線，不論在長度、高度還是施工難度，都可說是世界級的！從 1906 年動工，中間幾經波折和改變方案，直到 1912 年才正式通車。山上的數條高山支線，則要等到 1914 年才全部完工。從此，開始有一輛輛冒著黑煙的蒸汽火車，將阿里山的豐富森林資源載運下山。

阿里山所出產的木材，以紅檜及扁柏等高級木材為主，堅固耐用又清香，最適合作為建築材料，廣獲仕紳階級、公家機關以及宗教界喜愛。這些木材有七成於臺灣島內銷售，三成則銷往日本，就連祭祀天皇的明治神宮，都用上了來自阿里山的一流木材，可見其品質深受肯定。不過，日本人一面忙著伐木作業，一面也進行造林造景，廣植樹木和櫻花，讓本就氣象萬千的阿里山，更添增了優美的日式風情，幾棵特別壯觀的千年古樹，也被奉為「神木」而保存下來。

1935 年，配合著當時在全日本推廣的「愛林運動」，阿里山森林的工作人員也舉辦了「樹靈祭」，並設立「樹靈塔」，來紀念森林開發過程中殉職的員工，並感謝成千上萬被砍伐的樹木。不過，「樹靈」的意義，後來卻被好事者衍生為靈異傳聞，真是誤會大了啊！

你覺得禁止伐木、全面
仰賴進口木材，有什麼
優缺點？

§ 第四章 §

沿山地帶是客家人的新原鄉

臺灣的「沿山地帶」，是一片沿著山脈伸展開來的區域，更是原住民與漢人居住的交界地帶，從北部的三峽、大溪、關西、卓蘭，到中部的東勢、大里、竹山、古坑，再到南部的梅山、玉井、內門、屏東。這片介於平原與山地之間的沿山地帶，又被稱為「內山」，也就是現在省道「臺三線」一帶。

沿山地帶風景優美，大多是人口稀少的鄉村，不過，早期臺灣沿山地帶，卻有一段熱鬧輝煌的開墾歷史。

臺灣沿山地帶之最

日治時期臺灣樟腦年產量占世界總產量的百分之七十，是世界第一

臺灣沿山地帶必吃

客家擂茶、粄條、關西仙草料理

臺灣沿山地帶必遊

浪漫臺三線藝術季、新竹北埔老街或內灣老街、賞桐花、落羽松大道、屏東六堆

臺灣山區大事紀

❶ **1722 年** ▶ 臺灣首次在沿山地帶劃設「番界」，禁止漢人闖越。

❷ **1744 ～ 1790 年以後** ▶ 結合隘防與番屯政策，臺灣沿山開始出現許多「隘墾」村莊。

❸ **1820 ～ 1860 年間** ▶ 福建安溪移民，將茶樹及製茶技術帶到北臺灣，沿山開始種茶。

❹ **1835 年** ▶ 金廣福大隘成立，下轄 36 處隘寮，拓墾範圍遍及竹苗沿山地區。

❺ **1869 年** ▶ 美國發明以樟腦加工製造「賽璐珞」的技術，使臺灣樟腦的國際需求量大增。

❻ **1869 ～ 1895 年** ▶ 樟腦與茶葉在全臺外銷產值的佔比，從 18.7% 成長到 57.5%。

❼ **1899 年** ▶ 臺灣總督府開始實施「樟腦專賣」，至 1905 年，樟腦收入一度超越鴉片和食鹽，高居所有專賣收入之冠。

❽ **1918 年** ▶ 臺灣總督府推動「茶業改良」，選出了「青心烏龍、大葉烏龍、青心大冇、硬枝紅心」，成為知名的臺灣茶四大優良品種。

❾ **1930 年代** ▶ 德國人造樟腦技術逐漸普及，臺灣樟腦銷量大幅下滑。

❿ **1967 年** ▶ 樟腦的需求逐漸被塑膠等石化工業產品取代，政府結束樟腦專賣制度。

客家人爭取土地的好時機

在清帝國治理時，臺灣的生活環境還非常不便，食衣住行等生活上的必需品都取材自大自然，像是木柴、竹子、黃藤等天然植物，都時常被人們用來製成家具、工具、建材及燃料。而這些植物盛產於臺灣的丘陵和沿山地帶，因此很早以前就有漢人在沿山地帶生活，並從事採收植物的工作，以供給市場的需求。

不過，從十八世紀以來，清帝國便透過設置「番界」，嚴格管理沿山地區的進出。除了少數替軍方採集木材的工匠外，一般漢人移民不得進入沿山地區。然而，由於市場一直有大量需求，所以許多民眾仍然前仆後繼的冒著風險、私自越界開採資源，這讓清廷相當頭痛，只好一再調整「土牛番界」，也讓界線離山地林區越來越近。

1786 年臺灣發生了「林爽文事件」，許多平埔原住民幫助官兵圍捕林爽文集團，為了論功行賞，清帝國官府決定實施「番屯制」，把番界附近的土地，獎賞給平埔原住民，讓他們可以到沿山地帶開墾土地，同時充當守衛，防止漢人越界，也可以防止山地原住民下山攻擊。

這些沿山地帶的土地，有些離平埔原住民的番社太遠，有些則是平埔族人根本沒有多餘的人力進行開墾的區域。於是，客家人的機會來了！

當時來到臺灣的移民，以祖籍在福建、廣東兩省的閩南人和客家人為大宗。客家人具有刻苦耐勞與堅毅不拔的「硬頸精神」，在林爽文事件中沒加入泉漳派系鬥爭，反而與官府合作抵禦林爽文。因此，當清帝國政府對沿山地帶的管制終於鬆綁時，對客家人來說，正是爭取土地的大好機會！另一方面，臺灣的沿山地帶也跟與閩粵客家人的故鄉極為類似，於是，客家族群呼朋引伴，出錢出力組織成「墾號」，冒著重重考驗和風險到沿山地帶打拼，也在這裡找到屬於他們安身立命，甚至是飛黃騰達的新天地。

「墾號」裡的大老闆

「墾號」是什麼？你可以把它想像成一家公司，負責向官府登記開發土地，並按時繳稅。有些墾號是由單一老闆成立，有些是好幾個人一起組成，他們向政府申請到土地後，除了自己和親朋好友一起開墾外，也可以分租給其他人。

像是知名墾號——新竹北埔的「金廣福」，從墾號名稱的「廣」和「福」，便可看出是由「廣東」與「福建」移民合作組成。到了十九世紀晚期，清廷整頓沿山開發時，苗栗的黃南球也出面整合原有的墾號，進而成立「廣泰成」，多角化經營各種事業，因而成為沿山地帶的大老闆！而沿山地帶最賺錢的兩大產業：「樟腦」和「茶葉」，也掌握在這些大老闆手中。

當時歐美社會流行喝茶，主要的茶葉是從中國福建進口。隨著來自福建移民將種茶的技術帶到臺灣後，便利用多雨多霧的沿山環境來發展茶業，也培育出高品質的臺灣茶，不但反攻福建市場，也外銷到歐美國家，大受歡迎。

臺灣的沿山地帶另一個盛產的資源是樟樹，只要砍伐樟樹，再削製成木片，丟到大鍋子裡熬煮、蒸餾，就能提煉出天然樟腦。樟腦不但能作為藥材、香料或防腐劑；若把樟腦製成的樟腦丸放在廁所或衣櫃裡，更有除臭和防蟲的效果。後來，歐美國家開發出更多樟腦的用途，像是知名的科學家諾貝爾，發明了將樟腦做成無煙火藥的技術，還有美國科學家將樟腦作成類似塑膠的一種合成樹脂，取名為「賽璐珞」（Celluloid）。這讓歐美市場對樟腦的需求量大大增加，因此紛紛來到臺灣收購，也讓樟腦商人們忙得不可開交，收入倍增。

清帝國時期的公司：墾號

墾號就像一家公司，但是這種類型的公司究竟是怎麼運作的呢？想要認識墾號，我們得先了解，當時臺灣島上的土地存在著三種使用情形：第一種，是已經明確有地主的土地。第二種，是沒有明確地主的荒地。第三種，是屬於原住民的土地。

如果你身處於那個時候的臺灣，想擁有自己的土地最安全的方法，就是去找第二種的土地，也就是那些沒有明確地主的荒地了。當時如果想要用合法手段取得荒地，你必須向土地所在的官府申請一張許可證，叫做「墾照」。取得墾照的單位就是「墾戶」，墾戶要在一到三年內將土地開墾成功，並且向官府繳交土地稅，通常是依照土地面積交出定量的穀物，或者換算成等值的銀兩，完成這一串程序後，開墾土地的人才可以得到法律保證的經營權，成為「業戶」。

開墾需要花錢才能達成，因此通常能夠單獨去申請墾照的人，都是有錢的富豪，而資金不夠雄厚的人，只好選擇集合眾家之力，成立一間能申請墾照的公司，那就是我們所說的「墾號」。

墾號成立之後，要負責將土地稅交給官府；也會把申請來的大片土地，分租給眾多佃農，並向他們收取租金，而每年的總租金扣掉土地稅就是墾號可以賺取的利潤。

所以經營墾號的人，其實不需要實際下田耕作，只要收租金、繳稅，就可以輕鬆發大財！到後來，向墾號租用土地的人，乾脆再把土地細分，轉租給更多人，自己也成為坐地收租的二號小地主，衍生出「一塊田有好幾個房東」的現象。一直到了日治時代，臺灣總督府買斷上層墾戶的收租權，把地權歸於實際耕作的人，才初步廢除了這樣的一田多主制度。

 沿山古道的開闢與沒落

為了往來臺灣各個沿山地帶之間的聚落，並把沿山物產運送到平地，當時也開通了不少聯通道路，像是由客家富豪黃南球自費開闢出來的苗栗「鳴鳳山古道」，可連通山間的獅潭與山腳頭屋；新竹的「八寮古道」，則是將關西地區山上的樟腦運送到桃園龍潭的要道。

這些看似不起眼的細窄古道，可是當年在沿山地帶生活的人們把樟腦和茶葉送上世界舞臺的重要路徑呢！雖然後來因為樟樹日漸稀少，製作樟腦的腦寮消失，加上又有其他更方便的道路開闢，原有的古道使用機會也漸漸變少。不過到了今天，這些蜿蜒在沿山地帶，可以飽覽低海拔山林之美的古道，成為許多遊客的健行密徑，又被賦予了全新的觀光價值。

下次如果有機會到新竹、苗栗一帶的客家庄遊玩，可別忘了也到鄰近的古道探訪，除了挑戰你的腳程和體力之外，也可以細細體會先民奮鬥史的遺跡喔！

§ 第五章 §

點土成金的廣闊平原

每次只要搭火車來到中南部，從車窗望出去，總能看到綠油油的田園風光，讓人心曠神怡。不過，你知道嗎，這一望無垠的平原地區，並不是一開始就是肥沃的田園農地，在數百年前，這裡可是野鹿奔跑的競技場呢！究竟臺灣的平原是如何從荒地變身為良田，甚至還被冠上穀倉的美稱呢？

臺灣平原之最

臺東伯朗大道長達 2 公里、超過 500 公頃無電桿稻田地景，一望無垠，視野寬廣

臺灣平原必吃

池上米、碗粿、浮水魚羹、磚窯雞、活魚三吃

臺灣平原必遊

烏山頭水庫、八田與一紀念園區、臺南後壁菁寮老街 & 無米樂社區、水圳（瑠公圳、八堡圳等）、臺東伯朗大道

臺灣平原大事紀

❶ **1697 年** ▸ 文人郁永河在《裨海紀遊》中寫下從臺南到淡水的沿途平原風光，一路上花了 21 天。

❷ **1711 年以後** ▸ 中國華南地區長期缺米，臺灣平原地區盛產的稻米，成為炙手可熱的經濟作物。

❸ **1709～1719 年** ▸ 施世榜家族集資開發彰化平原，建造八堡圳，灌溉範圍遍及彰化平原東側。

❹ **1723 ～ 1734 年** ▸ 張達京與岸裡社熟番合作建造葫蘆墩圳，灌溉臺中盆地北側。

❺ **1837 年** ▸ 鳳山知縣曹瑾下令建造曹公圳，灌溉半屏山以南、紅毛港以北的高雄平原。

❻ **1898 ～ 1905 年** ▸ 臺灣總督府完成「土地調查」，掌握臺灣平原地帶土地資料。

❼ **1908 年** ▸ 臺灣縱貫鐵路通車，起自基隆，迄於高雄，將西部平原交通縮減至 12 小時。

❽ **1920 ～ 1930 年** ▸ 臺灣總督府工程師八田與一建造嘉南大圳，使嘉南平原的水田面積從 5 千公頃增加到 15 萬公頃。

❾ **1952 年** ▸ 美國援助建造跨越濁水溪的西螺大橋，全長 1.9 公里。

❿ **1978 年** ▸ 臺灣第一條高速公路通車，起自基隆迄於高雄，跨越西部平原耗時約 4.5 小時。

早期平原是野鹿天堂

臺灣島被高聳的中央山脈貫穿，山間的雨水很容易匯聚形成湍急溪流，當溪流來到地勢平緩的區域，裡頭夾帶的泥沙就會沉澱堆積，這種河流的沖積作用也是形成臺灣西部平原的主因。在臺灣中南部，就匯集了濁水溪、北港溪、八掌溪、急水溪、曾文溪、鹽水溪、二仁溪等多條河流，日日夜夜不斷沖積，形成臺灣面積最廣大的「嘉南平原」，更成為臺灣最主要的農業產區。

不過，其實臺灣從北到南、從西到東都有平原地形，像是新竹平原、苗栗的竹南沖積平原、臺中的清水平原、彰化平原、彰化南部與雲林北部的濁水溪沖積平原，還有雲嘉南及高雄的嘉南平原、屏東平原、宜蘭的蘭陽平原、花東縱谷平原等。這些平原雖然有平坦的地形，但是由於季風的關係，中南部地區在秋冬時降雨較少，溪流水源變得不穩定，缺乏水源的地方，大多變成雜草叢生的荒地。這樣的環境，特別適合野鹿生長，因此有很長一段時間，臺灣的平原上到處都是蹦蹦跳跳的野鹿。

十五世紀時，鄰近的日本的正處於戰國時代，需要使用大量鹿皮製成的皮革來製造士兵裝備，以及皮袋、煙盒等各種皮製品。他們很早就發現鄰近的臺灣是個可以供應鹿皮的地方，而在臺南建立堡壘的荷蘭人看到這項商機，讓平埔原住民捕捉野鹿，繳交鹿皮當做稅金，並壟斷臺灣的鹿皮出口；同時，他們也開始招募移民來臺，開始在平原種植甘蔗或其他農作物，再以甘蔗製成蔗糖外銷。就連後來鄭成功的軍隊打敗荷蘭人之後，也持續做著鹿皮和蔗糖的國際貿易，作為對抗大清帝國的經費。

鹿皮、白米、甘蔗
真是我們鄭氏王國
的外銷三寶啊！

從賣鹿皮和蔗糖到「拿白米換白銀」

清帝國一開始統治臺灣時，種植水稻的人還很少，但後來移民們漸漸發現臺灣稻米不但產量豐富，價格還比較低，如果能運送到長期缺米的中國南方沿海，將是一筆賺錢的好生意！因此，有管道出海的人，便紛紛移居臺灣，投入「白米換白銀」的新興事業。只是想要種好水稻，灌溉水源是不可或缺的，來臺開墾的移民很快就面臨這個大問題：穩定的水源到底該從哪裡來呢？

那些靠近溪流、陂潭或是有天然湧泉的平原地區，取水灌溉最為方便，但這樣的好地方很快就被先來的人搶占一空。為了把更多土地變成水田，必須開發「水圳」，把遠處的水流引導到田地裡，才能解決問題。只是建造水圳是一個大工程，有能力開發水圳的多是有錢人家，不然就得靠許多墾民出錢出力一起來做。

像是開發彰化八堡圳的施世榜，與幫清帝國打下臺灣的功臣施琅是親戚關係。他原本是高雄的富商，後來為了進一步開發彰化的水田，才大舉招募人手建造水圳，最後終於把荒草遍野的土地變成良田。另外像是鳳山曹公圳、臺北瑠公圳等，也都是經由類似的方式開發。總之在當時，水資源就跟土地一樣，是私人財產，可以自由買賣，但也常常發生許多用水糾紛。

到了日治時期，日本政府為了統整水資源，開始進行河川調查，並公布「臺灣公有埤圳管理規則」，將所有水圳收為由政府管理。進行河川調查時，臺灣總督府工程師八田與一建議興建「嘉南大圳」，改善農作水利。不過，一開始臺灣總督府因為經費不足而作罷，直到1920年，由八田與一設計的「嘉南大圳」總算開始動工。這個劃時代的水利工程十分浩大，除了水圳外，還包括心臟部位的「烏山頭水庫」，總共歷時十年才完工。

有了水庫和水圳的調節，嘉南平原的乾旱及鹽害問題才能從根本解決；土壤質地改善後，平原上的水田面積增加，旱田減少，成為稻米的絕佳產地，同時也改善了各種作物種植的水源問題，從此嘉南平原的水田大幅增加三十倍，稻米收穫量也增加為四倍，平原因此成為良田，一改原始荒原的樣貌。

交通建設讓農村走向都會

平原地區地勢平坦，加上鄰近水源，具有便利的生活環境，是適合開墾與居住的區域。在清帝國時期，隨著水田面積與產量增加，漢人移民越來越多，漢人村莊日漸壯大，並逐漸往平埔族群的居住地擴張。原先居住於臺灣西半部的平埔原住民，手上的土地則開始流失，慢慢落入漢人手中。這些原本以狩獵維生的平埔原住民，只好遠走他方，翻山越嶺往宜蘭平原或是南投等地生活，也有一些平埔原住民跟著學習種田，融入漢人的生活。

當漢人移民的經濟條件好轉之後，紛紛開始建立宗祠、廟宇等祭祀活動，增加凝聚力。就這樣，在水圳與稻田縱橫交錯的平原上，慢慢形成眾多的臺灣傳統農村；每個歷史悠久的村莊，也幾乎都能找到一間廟宇。有了廟宇作為信仰中心，市集也沿著廟宇和主要居住聚落開始發展，漸漸成為大大小小的集會中心。

不過，真正影響平原加速發展成為都市，得從「交通開發」說起。平原上大大小小的溪流，雖然沖積出肥沃的土地，卻也將平原切割成許多個區塊，造成交通困難。早期人們必須涉水過溪，或是透過簡便竹橋、竹筏來渡河，不過，一旦雨季來臨，暴漲的河水往往氾濫成災，沖毀耕地和橋梁，也威脅到鄰近村莊居民的安全。到了日治時期，因為引進鋼筋混凝土建築工法及現代化的築堤技術，河流走勢和河道不再那麼難以捉摸，更可以搭建出穩固、方便通行的橋梁，讓「過河」這件事變得輕鬆多了。

1911 年，全臺遭遇嚴重水患，日本政府因此開啟以「防禦洪水」為目的的研究。在 1912 到 1916 年，日本政府每年都會撥出十萬日圓經費，針對河川調查結果規劃治水工程，但最終還是無法落實整體改善，僅能實施一些針對濁水溪的緊急工程，或是在修築海岸線鐵路時，附帶進行治水工程。這些工程都或多或少對平原的交通帶來改善。

■ 日治時期所修築的嘉南大圳為南部平原農業貢獻良多。

不過，說到從根本改善臺灣平原交通的建設，首推貫通西部平原的「縱貫鐵路」。日治時代完工的縱貫鐵路，把平原上的聚落和城市串成一線，不管是旅客還是貨物，都能在一、兩天內往來南北數百公里，大幅降低運輸和遠行的成本。鐵路交通的進步帶動人潮移動，而鐵路沿線與車站周邊更冒出了新的村莊，有些原本就很熱鬧的地方，因為鐵路變得更繁榮；相反的，有些地方則因為沒有鐵路經過而沒落。

從修築水圳、整治河川，接著建設橋梁、開通鐵路，一直到鋪設柏油馬路、蓋起高速公路、架起高速鐵路……，數百年來，改造臺灣平原地區的交通工程仍在持續進行，就像是血管和神經，一條條構成平原地帶的脈動，也造就了平原地區的改變與進步，同時帶動臺灣島內與外銷的商業貿易發展，很多地方已經從農田變成高樓大廈，不過一些屬於農田的遺跡，像是水圳、開發過的文物可能都還隱身在我們的生活周遭或是文物館中。走訪這些地區時，不妨也花點時間，認識臺灣平原開發的歷史軌跡喔！

嘉南大圳

你知道嗎？ 1920 年代，臺灣總督府耗費千萬資金建設嘉南大圳，居然和日本家庭主婦發起的抗爭有關！

臺灣南部廣闊的嘉南平原，氣候溫和，極適合發展農業，但嘉南平原的西半部地區，相當缺乏水源，有三分之二的田地都屬於旱地，農作物產量有限。當時擔任總督府工程師的八田與一，早在 1917 年就提出建造嘉南平原大水圳的計畫，卻因為工程經費太過龐大而遭到駁回。

到了 1918 年，日本因為「工業化」，農村人口下降，導致米價高漲，加上米商刻意囤積白米，使得米價飛漲，一群沒辦法煮飯的家庭主婦憤而走上街頭抗議，衝進米店搶米，甚至和警察發生衝突，後來日本各縣市的民眾也紛紛暴動，逼得當時的日本首相下臺負責。經過這次事件，日本政府體會到要維持社會穩定，就得增加米糧來源，勢必要好好經營殖民地臺灣這個大米倉，於是經過一番峰迴路轉，八田與一的計畫通過審核，可以開始著手實行了。

1920 年工程團隊開始動工，將臺南烏山嶺的低窪谷地打造成「烏山頭水庫」，並開挖隧道導引曾文溪、濁水溪等水源，耗費十年的無數心血，終於完成了「嘉南大圳」，它也是當時全亞洲規模最大的水利設施。在豐沛水源的灌溉下，平原西側一片片荒地旱田，都化成了沃地良田。

不過，在大圳完工前後，廣大的臺灣農民其實有許多不滿，包括部分居民因為施工被迫遷移，灌溉區的作物選擇得受到政府控制，以及農民此後必須定期繳交昂貴的水租費用等等，都讓農民產生了怨氣，甚至將嘉南大圳稱為諧音的「咬人大圳」。

然而在大圳運作數年後，灌溉範圍內的土地價值成長 5 倍，農作收穫量成長 6.4 倍，農民所得成長 8 倍，耕地面積也大幅增加 30 倍！種種數據顯示，嘉南大圳確實成效卓著，對嘉南平原的農業經濟帶來巨大貢獻，也讓後人更佩服八田與一當初的遠見！

§ 第六章 §

臺灣的經濟命脈——沿海地帶

臺灣島四面環海，除了中部的南投縣外，其他縣市都有靠海。因此早在新石器時代，人們就懂得使用貝殼、獸骨等製造簡單的工具，進行釣魚、捕撈等漁業活動。到了元帝國治理中國時期，更有不少小漁船常在澎湖和臺灣本島間活動。身處島國，沿海居民自然練就了「討海人生」的本事，並發展出捕撈、養殖漁業、鹽業、航運、觀光等多樣產業，這一圈環繞著全島的海洋資源，也成為臺灣極為重要的經濟命脈。

臺灣沿海大事紀

❶ **7000 ～ 4700 年前** ▶ 臺灣沿海各地遍布史前人類生活過的遺跡（如大坌坑文化）。

❷ **1637 年** ▶ 荷蘭文獻記載，冬天烏魚季節時會有大約一萬多名閩南漁民，專程到臺灣沿海捕烏魚。

❸ **1662 ～ 1683 年** ▶ 鄭氏王國在臺灣針對沿海產業進行課稅管理，包括港口、漁船、捕魚工具、漁業和製鹽業都有專門稅目。

❹ **1661 ～ 1683 年** ▶ 清帝國下令海禁與遷界，禁止船隻入海，並要求沿海居民遷居內陸。

❺ **1683 年** ▶ 施琅率清軍跨海擊敗鄭家軍隊，將臺灣島納入清帝國版圖。

❻ **1684 年** ▶ 清帝國頒布渡臺禁令，三大原則為「禁止偷渡、禁止攜家帶眷、禁止非閩籍人士來臺」。

❼ **1797 ～ 1809 年** ▶ 大海盜蔡牽侵擾鹿耳門到淡水沿海港口，一度包圍臺灣府城。

❽ **1860 年** ▶ 因應《天津條約》，臺灣淡水及安平港開港通商，後續更開放雞籠港（基隆）與打狗港（高雄）。

❾ **1875 年** ▶ 牡丹社事件後，沈葆楨奏請廢除渡臺禁令。

❿ **1937 ～ 1945 年** ▶ 臺灣捲入第二次世界大戰太平洋戰爭，周遭海域爆發多次海戰。

臺灣沿海之最

桃園藻礁地形已有 7500 年歷史，是稀有的植物造礁海岸，具有天然的海岸屏障功能，可以消波海浪，也孕育眾多生物物種

臺灣沿海必吃

虱目魚、鮮蚵、小卷、黑鮪魚等各種海鮮魚產

臺灣沿海必遊

野柳、觀光漁港、桃園藻礁、沙灘、海水浴場

什麼！原住民居然是航海來到臺灣的？

一說到海邊，你會想到什麼呢？是美麗的沙灘，還是一艘艘正在捕撈漁貨的漁船呢？考古學家曾在今日臺東縣長濱鄉的海邊，發現目前臺灣最早的史前人類文化遺址，它是距今約 5 萬到 7 千年前，屬於舊石器晚期的長濱文化遺址。歷史學家從遺址所挖出來的一些文物推測，這群遠古人類以漁獵採集為生，也會利用骨針、骨魚鉤或是其他石器等生活工具，取得沿海或是近山的資源，並利用濱海洞穴遮風避雨及居住。

雖然長濱文化是否為現在臺灣島上原住民的祖先，還沒有定論。但可以確定的是，史前人類就已經開始利用工具，從事漁獵的生活。我們也可以追溯到好幾萬年前，也就是冰河時代結束時，因為海平面的上升，臺灣開始成為一座被海水環繞的孤島，可能有一群精通航海的南島語族突破了海洋的限制，撐起風帆，駕著具有浮桿的獨木舟，穿梭在太平洋的島嶼之間，其中有一些人也因為這樣來到臺灣定居。

除此之外，居住在臺灣東海岸到北海岸的的阿美族和噶瑪蘭族，雖然分散在不同地方，卻不約而同流傳著類似的神話故事：傳說中的祖先都是來自其他島嶼，沿著海流不斷尋找移居地，最後才定居臺灣。或許，這些資料都顯示著部分臺灣的原住民祖先曾是擅長航海的民族。

到了十五世紀到十七世紀的大航海時代，頻繁往來東亞海域的西班牙人和荷蘭人，都很快的注意到臺灣島周圍有很多漁獲，而且有熱中交易的原住民，可以為他們的航行提供食物來源。他們開始與原住民密切互動，甚至來到臺灣沿海占據土地，以發展自己的商業勢力。可以說，那時候的臺灣，就已經開始「國際化」了。

不捕魚時就兼職當海盜？

在明帝國時期，有一個來臺灣追捕倭寇的官員叫做陳第，他寫了一篇文章叫〈東番記〉，指出在澎湖外海的「東番島」（即為臺灣），長度「斷續千餘里」，並記錄當時這個島從南到北有許多港口。讓人好奇的是，為什麼明明臺灣和中國僅隔著臺灣海峽，但在明帝國時，臺灣卻鮮少有與中國接觸的歷史記載呢？原來，正當西方國家積極發展海外貿易時，明帝國政府卻實施海禁，禁止人民出海，只開放一個合法港口，而且必須繳納高額稅金，導致沿海漁民常進行非法的走私貿易。當可以捕魚的時候，他們就是漁民；但不是漁季的時候，這群人就有可能鋌而走險當起海盜。而不管是非法出海的漁民，或是搶奪往來船隻貨物的外國人，後來都被官方通稱為「倭寇」，他們時常在臺灣沿海捕魚或走私貿易 ，也讓臺灣漸漸捲入海盜的活動圈。

隨著各方勢力在東亞海域的競爭逐漸白熱化，臺灣這個位置優越、資源豐富的海島，也變得炙手可熱。歐洲式的堡壘、漢人的屯墾聚落紛紛出現在島上，平埔原住民也被迫接受新的統治制度，臺灣因此捲入大航海時代的爭霸戰。

直到清帝國統治臺灣時，雖然想嚴格管制移民，但臺灣四面環海的開放環境，哪裡是說禁就禁得了的？許多漢人移民冒著危險，也要渡海奔向臺灣尋找機會。在這大約一百年內，臺灣的漢人人口從十萬人暴增到兩百萬人，「渡海來臺」成為許多臺灣漢人家族故事的開端。他們也因為人生與「海洋」深深相繫，衍生出不少產業和獨特的習俗與文化，像是在臺灣沿海處處可見保佑航海平安的福建女神──「媽祖」，而「拜媽祖」也成為臺灣最普遍的民間信仰之一。

這些渡海來臺的居民由於靠海維生，也發展出了各種產業，像是捕魚、撈鰻苗、養殖業……。光是最基本的「捕魚」，各地就發展出好幾種方法。例如，傳統的捕撈方式「牽罟」，是用一張十幾個人拉開的大拖曳網，把沿海魚群拖上岸；有些地方則會因應當地地形，用石頭打造「石滬」，讓魚在漲潮時游進去，退潮後困在裡頭，漁民便能輕鬆捕獲。後來還漸漸發展出海產養殖業，像是赫赫有名的臺南虱目魚，或是彰化王功或臺南安平一帶飽滿鮮甜的蚵仔，也都是發展上百年的沿海熱門產業呢！

■ 知名的澎湖雙心石滬就是利用當地資源發展出來的特色捕魚方式。

除了捕魚，還有哪些沿海產業能賺大錢？

除了漁業相關之外，沿海地帶還出產一項民生必需品：鹽，無論是平時煮飯炒菜、食品醃製，甚至是清潔、治病，都少不了它。臺灣的鹽業究竟是從什麼時候開始已不可考，但至少在荷蘭治理時期結束時，臺灣的鹽還是要仰賴中國進口；直到鄭成功來到臺灣後，由於當時清帝國實施海禁，當時明鄭的參軍陳永華才重建荷蘭人放棄、位在現今臺南安平的瀨口鹽田，並引進改良晒鹽技術，正式開啟了臺灣的海鹽產業。到了清帝國時期，臺灣先後拓展了七個主要鹽場，多半分布在臺南與高雄。

不過，從清帝國、日治時期，到國民政府治理初期，臺灣的鹽業大多是由政府管理，設置「專賣制」，所以不管是製鹽或收租都有許多規範。另一方面，雖然臺灣鹽業在全盛時期，不僅可以自給自足，還有餘裕出口至日本。但後來隨著世界製鹽技術的日新月異，而臺灣鹽業卻受限於潮溼的氣候，製作成本一直居高不下，與國外低售價的進口鹽相較之下，競爭力漸趨不足。最後，臺鹽公司在2002年5月終於關閉了所有鹽場，三百多年的晒鹽史，從此畫上休止符，臺鹽公司也轉型為民營化企業。盛極一時的製鹽產業雖然已成為明日黃花，不過近年來，為了延續鹽文化，部分晒鹽場轉型為觀光鹽場，反而大受歡迎，像是臺南北門的井仔腳瓦盤鹽田或是七股鹽山，每年都吸引許多遊客拜訪呢！

由於沿海地區的產業蓬勃發展，加上整個臺灣島進出口都仰賴港口，因此也發展出許多重要的港口都市，像是基隆、宜蘭蘇澳、新北市淡水、臺中梧棲、花蓮、臺南安平，還有至今仍有港都之名的高雄市，都是受惠於海洋產業而發展出來的。它們都曾經或現今仍在臺灣的國際貿易上，扮演十分重要的角色。即使到了今天，全臺灣仍有將近四十萬人過著以海維生的討海生活，海洋真是臺灣文化與經濟命脈重要的一部分啊！

臺南北門的井仔腳瓦盤鹽田是現存最古老的瓦盤鹽田遺址，原為清帝國治理時期的瀨東鹽場。

臺灣的關鍵地點：人文部落匯聚之地篇

§第七章§

史前聚落居然曾是時尚中心

如果有一群人，選擇了同一個區域居住，隨著居民越來越多，就會漸漸形成「聚落」，事實上，臺灣最古老的聚落，大約在距今五萬年到三萬年前的舊石器時代就出現了，不過當時並沒有文字紀錄，只能仰賴考古學家從史前遺址挖掘出來的文物研究，勾勒出史前人類的生活樣貌。究竟，聚集在臺灣島的史前人類是過著什麼樣的生活呢？

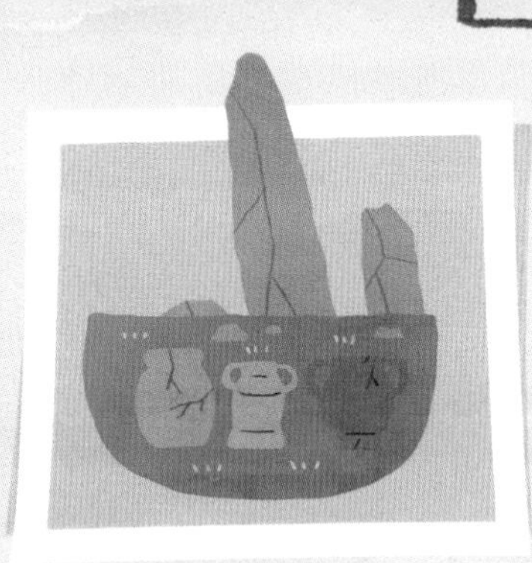

臺灣史前聚落之最

臺東卑南遺址目前是臺灣所發現的最大史前聚落，也是東南亞地區規模最大的石板棺墓葬群遺址

臺灣史前聚落必吃

竹筒飯、甕仔雞、阿拜

臺灣史前聚落必遊

卑南文化公園、八仙洞、圓山遺址、十三行博物館、國立臺灣史前博物館、臺南左鎮化石園區、臺中惠來遺址

臺灣史前聚落卑南遺址大事紀

❶ **5200～2300年前** ▶ 史前人類在臺東卑南留下生活遺跡，被稱為「卑南文化人」。

❷ **3000年前左右** ▶ 卑南出產的玉器，出現在全臺各地的新石器時代晚期遺址。到了2500～2000年前曾出現在環南海各國的南島文化圈。

❸ **1900年前** ▶ 卑南文化人離開了卑南遺址，原因及去向仍待研究。

❹ **1896年** ▶ 日本學者鳥居龍藏途經臺東，拍攝卑南月形石柱。

❺ **1896～1897年** ▶ 東京帝國大學受臺灣總督府委託來臺調查，陸續發現芝山岩遺址、圓山貝塚等史前遺址。

❻ **1929～1937年** ▶ 日本學者鹿野忠雄在卑南進行前後十次調查。

❼ **1945年** ▶ 日本學者金關丈夫、國分直一在卑南遺址進行考古試掘，但因戰爭因素中止。

❽ **1980年** ▶ 臺鐵興建卑南新車站時，施工挖出許多文物，學術界展開搶救。

❾ **1980～1989年** ▶ 臺灣學者宋文薰、連照美與臺大考古團隊於卑南遺址搶救出驚人的豐富史前文物。

❿ **2002年** ▶ 國立臺灣史前文化博物館正式開館，成為臺灣史前文化的研究與展示中心。

史前人類喜歡住水源區附近？

從山上到海邊，目前臺灣已經發現了超過 2000 個史前文化遺址。我們可以從這些遺址的位置，推敲出史前人類群聚生活時的樣貌。想一想，如果你是史前人類，以下三個地區，哪裡會是你的首選居住地呢？

A：水邊，有水源，可以清洗東西、捕食水中的生物。
B：草原地區，地勢平坦，但是有很多蚊蟲。
C：深山裡，可以打獵維生，不過，由於附近沒有水源，得走到很遠的地方提水。

其實不管是對古代人或現代人來說，選擇居住地時考慮的重點都是一樣的——那就是安全與生活便利。顯然上面三個選項中，選項「A 水邊」看起來是最好的選擇，那裡有水源，也因此有食物來源，看起來非常適合居住，自然而然就會形成聚落。

許多歷史學家和考古學家從史前人類聚落遺留下來的化石或考古遺跡，如陶器、骨角器具、動物骨骸、植物種子、建築遺跡、墓葬石棺等，發現史前人類選擇居住地時，除了考慮水源外，也會刻意避開低窪的地段，如此一來，既可以輕鬆取得淡水飲用，又不必擔心下大雨時會發生水災，所以許多靠近河流或湖邊、地勢稍高的地方，都曾發現史前人類聚落遺留的痕跡。

例如，日治時代發現的「芝山岩遺址」和「圓山遺址」史前聚落，就靠近遠古時期的「大臺北湖」高地。史前人類在那裡留下許多生活的痕跡，連他們在湖邊採集、食用貝類之後剩下來的貝殼，都多到可以堆成許多名為「貝塚」小山了！而南科考古遺址和臺中惠來遺址也曾大量挖掘出碳化的小米，由此可知史前人類在四千至五千年前就已經開始食用米了。

史前卑南人多采多姿的的生活

史前人類的生活究竟是怎麼樣的呢？他們只會終日打獵、追求溫飽嗎？如果你這樣想，那可就大錯特錯囉！在今日臺東車站附近的卑南山山腳下、鄰近卑南溪出海口處，就曾在火車站施工時發現了一個全臺灣規模最大的史前聚落遺址——那是三千年前卑南人留下的「卑南遺址」。

從遺址挖出的各種文物中，考古學家驚訝的發現：原來新石器時代晚期的卑南人日子過得可精彩呢。他們會用石板、木頭、竹子和茅草，搭建成長方形的房子，還有礫石鋪成的院子，門口則面向太平洋，房子後面還挖了一個用來存放食物的垂直地穴。他們已經懂得製作各種陶器，也有編織衣物的紡織技術，使用的石器類型也很多樣，包括石矛、石箭、石鋤頭和石鐮刀等，可以用來種植小米，到山上獵山豬、野鹿，或是到海邊捕魚，還能採收野菜、水果，營養非常均衡呢！

此外，卑南人還有把過世的親人埋在房子下面的習俗，因此在卑南遺址的地底下，找到了一千多座石板製成的棺材。這些石板棺大概有二到四公分厚，排列得很密集又規律，埋葬方向都是順著海岸山脈的「東北－西南」走向，和房子的方位一樣。

更特別的是，專家們研究石板棺裡的卑南人遺骸，發現他們普遍會在成年時拔掉上門牙或犬齒，也有獵首的行為，和許多臺灣原住民早期的習俗相當類似。在那些石板棺木中還保存了大量精美的玉器，這些玉器有很多造型，有玉珠子，也有喇叭型的玉環，可以戴在手臂上；有四角突起的玉玦，是漂亮的大耳環；其中最引人注目的就是「人獸型玉耳飾」，外觀是兩個站立的人形，雙手插腰、兩腿分開，兩個人形的頭部頂著一隻像是貓科動物的圖樣，並有精美的雕刻紋路，被視為國寶。

連海外都流行的卑南玉器

考古學家根據這些玉器的材料進行研究，發現原料大都是出產自花蓮的「豐田玉」，這是一種墨綠色、能透光，帶有黑色斑點或條紋的玉石。他們也曾在東部其他區域發現類似玉器製作的文物，因此推測，或許當時候生產玉的東臺灣同時也是玉石加工地。這種豐田玉做成的玉器不只出現在臺東卑南，也在臺灣其他新石器時代遺址發現，像芝山岩遺址中也曾發現由豐田玉做成的「船型玉飾」。另外，除了離島的澎湖、蘭嶼、綠島外，甚至更遠的菲律賓、越南、泰國，長達二千五百年的文化層中，都曾找到豐田玉做的玉器，不管是造型和樣式，都跟史前卑南人使用的玉器相當接近。

歷史學家由這些史跡推測，或許當時的卑南人也會航海，才能把這些精美製作玉製品帶到往海外。雖然我們無法確定卑南人究竟是把玉器販售到海外，還是帶著玉器移居到這些地方，但因為發現這些出現相似玉器的地區，正好都在南島語族的分布範圍，因此可以想見——卑南人的玉器可能在當時的南島語族文化圈廣為流行。

或許，對史前時代的南島語族來說，東臺灣是最時尚的玉器文化發源地。當中國的春秋時代忙著群雄紛爭，而古希臘人開始進行古代奧林匹克運動會的時期，住在臺東的卑南人也很忙碌，他們正忙著把豐田玉雕成美麗的玉飾，透過高超的航海技術，把這些美麗的玉石帶到其他的南島語族聚落呢！

地理位置自然資源會
影響聚落發展方向。
你覺得港口聚落會有
什麼產業呢？

§ 第八章 §

港口聚落——「正港」的鹿港

十六世紀開始，臺灣因為優越的地理位置，被許多航海人士視為重要的交通與商業據點，因此他們最早在臺灣建立起來的聚落和都市，都以方便出海與貿易的「港口聚落」為主，像是荷蘭人和西班牙人的據點大員（臺南舊稱）、雞籠（基隆舊稱）等都因為有對外港口而發展起來。

清帝國治理時期，更出現了「一府、二鹿、三艋舺」的說法，它們是當時最熱鬧的三個貿易港，其中「二鹿」指的是「鹿港」。令人好奇的是，為什麼中部發展之始是在彰化的鹿港，而不是臺中呢？

臺灣港口聚落之最

臺灣目前有七座國際商港，其中高雄港為臺灣第一大港、世界第 15 大港

臺灣港口聚落必吃

肉圓、蚵仔煎、各式海鮮

臺灣港口聚落必遊

鹿港天后宮、摸乳巷、九曲巷、臺南五條港文化園區、駁二藝術特區、紅毛港文化園區

臺灣港口聚落——鹿港大事紀

❶ **1620 ～ 1683 年** ▶ 鹿港屬於中部平埔原住民巴布薩族的領域，僅有少數漢人於沿海生活。

❷ **1685 年** ▶ 第一本臺灣府志已記載「鹿仔港汛」，顯示當時已有一支海防部隊駐守在鹿港附近。

❸ **1690 ～ 1723 年** ▶ 大量移民入墾彰化平原，1723 年正式設置「彰化縣」。

❹ **1728 年** ▶ 官府於鹿港設置官方米倉，儲存要運往福建的米糧。

❺ **1784 年** ▶ 鹿港升格為「正港」，即官方正式港口，與泉州蚶江口對渡。

❻ **1784 年** ▶ 林振嵩於鹿港成立「日茂行」，後來成為當時的鹿港首富。

❼ **1787 年** ▶ 為了處理林爽文事件，清帝國大軍於鹿港登陸，展開作戰。

❽ **1790 ～ 1820 年** ▶ 在鹿港經商致富的居民，進一步投入修建廟宇等文化事業，奠定鹿港的黃金年代。

❾ **1820 ～ 1850 年** ▶ 鹿港港道逐漸因泥沙淤積，無法停泊商船，大型船隻須經由王功、芳苑等小港轉運。

❿ **1890 ～ 1900 年** ▶ 鹿港完全淤積，失去商業功能，部分鹿港居民須外出謀生。

為什麼中部開墾重心在鹿港呢？

十七世紀末，臺灣中部沿海及彰化平原，還是平埔原住民「大肚王」的勢力範圍。這一帶的港灣因為鄰近溪流的出海口，一直都有泥沙淤積的問題，早期只有一些漢人來這裡捕烏魚，聚落發展的規模不大；加上清帝國早期治理臺灣時，官府開放的合法國際貿易港只有臺南府城的鹿耳門一處，還設立專員管理與廈門對口通商活動。至於鹿耳門以外的港口，都只能作為臺灣島內對內的港口營運。

不過，臺灣中部的漢人移民漸漸發現，鹿港的位置正好在臺灣西部海岸線的中段，往來臺灣南北沿岸都很方便；若想前往福建熱鬧的大商港「泉州」，也只要一、兩天的時間；要是順風的話，甚至只要半天就能到達，因此有不少商人不顧清帝國朝廷的規範，偷偷直接從鹿港出發，前往廈門。鹿港絕佳的地理位置，也成為它崛起的關鍵條件之一。

十八世紀開始，來臺灣種水稻成為非常熱門的行業，許多漢人移民在彰化平原開墾水田，收成後的白米就運往鹿港的倉庫存放，以便就近裝載出港。也有一些移民來到鹿港從事貿易，將臺灣種植的白米賣到缺乏米糧的中國南方沿海；回程時也採買生活必需物資，或是精緻的布料、器具，以及高級木石、建材作為壓艙石，穩定航行。等回到臺灣後，再從鹿港將這些物品及壓艙石轉運到臺灣各地販售。鹿港因此成為中臺灣貨物集散的商業重鎮，開始發達起來。在鹿港的全盛時期，每天大約有一百艘帆船進出，最高曾有重達五百多噸的商船進港，街上商人和顧客熙來攘往，甚至還出現了「鹿港飛帆」的景象，由此可見當時鹿港貿易量的繁忙與熱鬧程度！

港口的興衰

1784 年時，清帝國終於正式讓鹿港升格為「正港」，並讓鹿港與福建泉州的蚶江口成為對口通商口岸。鹿港的發展得到「官方認證」後，也吸引越來越多泉州的移民陸續湧入，因此鹿港居民曾有高達八成以上都是泉州籍。當時的鹿港已經是臺灣第二大港口都市，對外生意則掌握在「鹿港八郊」手上，這八個商業組織分別為泉郊、廈郊、南郊、簸郊、油郊、糖郊、布郊和染郊，各自處理不同出口地和貨物的生意；八郊底下更有數百家商號，掌握臺灣不少重要的國際貿易。鹿港甚至有一條全臺最長的商店街，專門販售從碼頭進口的貨物。這裡的商品種類繁多，商家們為了讓顧客免於日曬雨淋，甚至搭建了遮棚讓大家安心逛街，這就是俗稱的「不見天街」，不過這條特色街道在日治時期實施市區改正而被拆除。

另一方面，渡海來臺的漢人移民，由於人生地不熟，加上安全考量，來自同鄉或是同姓氏的人常會聚集在一起，共同抵抗外侮，鹿港當然也不例外。這裡早期還有一句俗語：「鹿港施一半」，意思就是鹿港聚集了很多姓施的人家，他們其中有一些更是治臺有功的施琅後代。據說，今日鹿港天后宮的鎮宮之寶黑面媽祖神像，也是施琅從中國湄洲媽祖廟帶來的。

不過，早期臺灣的漢人移民彼此之間並不和睦，像是來自福建的漳州人和泉州人就是長期世仇，即使到了臺灣，依舊因為搶奪生活資源而大打出手，發生多次「漳泉械鬥」。1787 年，臺灣發生「林爽文」民變事件，泉州籍的鹿港人不願意支持漳州籍的林爽文軍隊，因此全力守住鹿港，並與清帝國官兵合作，所以清廷派來的軍隊才能順利從鹿港登陸，進而平定叛亂。在事件之後，鹿港又度過了一段黃金年代，許多經商致富的人為了回饋家鄉，也投入文化事業。

但到了十九世紀末期，曾盛極一時的鹿港卻因為港口淤積越來越嚴重，船隻已經沒有辦法直接駛入，大型船隻必須先停泊在南邊的王宮和番仔挖港口（即現今王功和芳苑），換成小船或牛車，再把貨物運至鹿港，鹿港的商業活動也開始受到影響。

鹿港老街風華

二十世紀以後，鹿港周邊的港口全面淤積，加上日治時期規劃的縱貫鐵路並沒有經過鹿港，因而失去交通優勢，商業活動也漸漸沒落下來，彰化、臺中等鄰近城市則後來居上。即使如此，由於鹿港很早就開始發展商業活動，加上有許多漢人移民帶來各式各樣的文化和建築，讓這個城市除了有繁華的港口貿易，亦有濃濃的藝文氣息。直至今天，還保留了不少古蹟及完整的老街。像鹿港的三大古蹟「龍山寺、天后宮、文武廟」，都有著精美的藻井彩繪、石雕龍柱等構造，展現極致的建築與手工藝術。還有獨具特色的傳統糕點，像是裹著香甜麥芽糖的麻粩、口感多層次的雙糕潤、費工又高雅的鳳眼糕等，都是保留完整歷史記憶的鹿港美食。走過鹿港老街、探訪數百年的古蹟與傳統藝術，再品嚐一小口的美味點心，讓人彷彿也走入時光隧道，不難想像這個昔日港口聚落的風華。時至今日，鹿港仍然是臺灣最具文化特色的小鎮，值得一遊再遊！

鹿港天后宮一帶是鹿港人重要的生活中心。

§ 第九章 §

外來「客」落地生根變義民

說到客家人，大家第一個聯想到的，應該就是薑絲炒大腸、福菜肉片湯、梅干扣肉等各式各樣好吃的客家菜了。事實上，客家人是臺灣第二大族群，早在鄭成功治理臺灣時就有客家移民跟著他遷居來臺。

直到今天，客家族群所使用的客語，仍名列臺灣島前四大語言之一，不管是在公共場合或是大眾交通工具上的廣播，都能經常聽到客語。不過，讓人好奇的是，究竟「客家人」為什麼叫做客家人，他們又是從哪裡來的呢？

臺灣客家聚落之最

客家人口約占總人口五分之一，全臺有六十九個鄉鎮客家人口達三分之一以上

臺灣客家聚落必吃

擂茶、粄條、鹹湯圓、艾草粄、薑絲炒大腸、梅干扣肉

臺灣客家聚落必遊

客家文化園區、煙草樓、苗栗桐花祭、六堆嘉年華、新埔褒忠亭義民廟

臺灣客家聚落大事紀

❶ **1662 年** ▶ 許多客家人已跟隨鄭成功軍隊來到臺灣。

❷ **1722 年** ▶ 高屏地區客籍聚落組成「六堆」團體對抗朱一貴，事後被官方獎勵為「義民」，並建立「六堆忠義亭」。

❸ **1741 年** ▶ 臺灣的客籍居民黃鑲雲首度取得科舉資格。

❹ **1787 年** ▶ 爆發林爽文事件，客籍族群以義民身分協助官府。

❺ **1790 年** ▶ 新竹「褒忠亭義民廟」落成。

❻ **1895 年** ▶ 臺灣被割讓給日本帝國，桃竹苗客家領袖姜紹祖、徐驤組織義軍對抗。

❼ **1905 年** ▶ 臺灣總督府首次進行全臺大規模的戶口調查，客家人大多標註為粵籍。

❽ **1948 年** ▶ 首度舉行「六堆運動會」。

❾ **2001 年** ▶ 政府成立「客家委員會」。

❿ **2002 年** ▶ 首度舉辦「客家桐花季」。

誰是客家人？

據說客家人原本是生活在中國北方的一支民族，為了躲避戰亂而遷居到南方的福建、廣東、江西交界地帶的山區。儘管數百年過去了，他們仍保有與當地人不同的特殊語言和風俗習慣。

由於以前的人普遍重視出身地和省籍，「先入為主，後來為客」的觀念根深蒂固，因而這群遷居而來的族群總是被當地人稱為「客」或「客民」。雖然用了「客」這個稱呼，但並不是「你是客人，我要招待你」的意思，反倒是隱含著「你們這些外來者、你不是我們這邊的人！」的排擠意味，也因此這群外來移民雖與在地人相處了很長的時間，但競爭和衝突卻從來沒斷過。為了抵禦共同的敵人，他們的族群意識越來越強烈，也開始自我認同為「客家人」，使用的語言則稱為「客語」。

十七世紀清帝國剛開始治理臺灣時，有許多中國沿海的居民想要渡海來臺尋找謀生機會，然而清廷卻規定民眾未經許可不能擅自離開所在的省分，跑到別的地區生活，加上渡臺禁令中更明訂：「粵地屢為海盜淵藪，以積習未脫，禁其民渡臺」，意思就是不准廣東省的民眾來臺灣。而一開始臺灣被劃入「福建省」的管轄範圍，只有家鄉在福建的漳州人、泉州人能合法來臺，如果是其他地區的人擅自跑來臺灣，那可就麻煩大了。

對那些祖籍不在福建的客家人來說，想來臺灣開墾，遠比家鄉在福建的漳州人與泉州人更為不易。但儘管有渡臺禁令，中國閩粵沿海地區的人民為生活所迫，仍不斷冒險偷渡來臺墾殖。只是，由於當時臺灣屬於福建省管轄，故從廣東省來的移民，上岸後受到了更多的限制，多半只能以「佃農」的角色參與土地開發事業。這些來自廣東的客籍佃農投入開發後，開始聚居在耕地附近，逐漸形成一個又一個的族群共同體聚落 ——「客庄」。

同心協力的客庄

當時許多客家移民到臺灣中、北部的沿山地帶去打拼，像是新竹的芎林、北埔，苗栗的大湖、卓蘭，以及臺中的東勢都是客家人聚集地。早期這些居住在沿山地帶的客家人，會在村莊設立防禦據點，配置隘丁，這些據點是防止山地原住民攻擊的前哨站，他們會在眾多隘連線以內的地區開墾土地，讓所有墾民可以安心從事墾拓工作，這樣的開墾方式就叫做「隘墾」。這些地區因為聚集著許多的客家人，也因而充滿著客家風情。

起初，清帝國官員和福建籍的地主認為這些不合法的「客庄」會造成治安問題，處處防範，沒想到客庄居民後來卻在社會動亂時，成為協助官府的力量。1721 年，臺灣南部爆發了「朱一貴事件」，以漳洲人朱一貴、潮州人杜君英為首的反抗軍，一舉攻陷臺南府城，但後來雙方陣營產生分裂，進而引發福建籍與客籍移民的對抗。

當時在高屏溪一帶，也就是現在的美濃、高樹、長治、麟洛、萬巒等地區，有好幾十個客庄號召了一萬多名鄉勇，組織成「前堆、後堆、中堆、左堆、右堆、先鋒堆」等六個義勇軍，保衛自己的村莊，以防被朱一貴的軍隊洗劫。

事件結束之後，「六堆」組織仍然一直延續下來，到了臺灣被清帝國割讓給日本時期，六堆的義勇軍也曾群起抗日，與日軍有不少衝突。直到今日，當地客庄居民還是會以「我是來自哪一堆的」介紹自己。不少六堆居民更保留習武強身的團練活動，並年年舉辦「六堆運動會」客庄傳統競賽，以聯絡情誼。

造福後代子孫的「義民爺」

說到客家風情，除了美味的客家菜和醃菜外，還有什麼方式可以發現客家聚落呢？告訴你一個小線索：仔細觀察當地有沒有「伯公」跟「義民爺」的廟宇就對了！

什麼是「伯公」呢？其實就是臺灣處處可見的「土地公」，雖然我們比較常聽到「土地公」或「福德正神」的稱呼，不過客家人習慣稱祂為「伯公」，意思就是把土地公當成自己的長輩一樣尊敬與親近。不妨仔細觀察，在「伯公廟」的神明座底下不是虎爺，而是「龍神」，這是與閩南人信仰的土地公廟很不一樣的地方！

另外像「義民」的稱呼，原本是指清帝國時幫助官兵平亂的民眾，而且嚴格來說，並不是只有客家人才被官兵認為是義民。在林爽文事件後，乾隆皇帝賜御臺灣各籍人民匾額，泉州人得「旌義」、熟番的是「效順」、漳州人得到「思義」，而客家人則得到「褒忠」。因此客家人建造許多「褒忠義民廟」，供奉事件中犧牲的義民，而官府也鼓勵民間運作這種像是民間忠烈祠的信仰，以凝聚對朝廷的效忠與向心力，當中則以桃竹苗地區的客家褒忠亭義民廟信仰最知名。

對於原本在臺灣沒有合法身分的客家族群而言，透過軍功成為「義民」，並得到官府的認同，更有著特別的意義。他們因為有「義民」的名號而爭取到「參與科舉的名額」，客家子弟從此有機會讀書、考試、當官，躋身上層階級，得以光宗耀祖！因此，客家人格外重視這個「義民」的身分，並把身為義民的祖先尊稱為「義民爺」。直到現在，每年農曆七月，新竹新埔、桃園平鎮等地的客家人，還會舉辦盛大的「義民祭」，紀念在戰爭中犧牲生命、幫助後代子孫取得權益的義民祖先，也是客家人「飲水思源」的精神體現！

§第十章§

引發流番遷徙的武裝拓墾聚落

早在鄭成功帶著軍隊來臺時，為了兼顧糧食和軍事需求，在臺灣實施駐軍屯墾政策，軍隊平時務農，必要時穿上軍裝應戰。這些新開拓的區域，往往從地名就能看出端倪，像是今日的新營、柳營、林鳳營，這些地名中有「營」字的，許多是主要軍屯開墾地；而地名中有「衛」字或「鎮」字，也與軍隊駐點有關。

到了清帝國時期有更多移民來臺，難免與當地原住民發生衝突，因此在開墾時，也多少會採取武力行動。而第一個漢人武裝拓墾聚落就落腳在看似平靜的蘭陽平原，展開一連串血汗交織的開墾故事。

臺灣武裝拓墾聚落之最

宜蘭頭圍（現今頭城）是漢人在東部第一個建立的開墾據點，早期是噶瑪蘭地區人口及商業之最

臺灣武裝拓墾聚落必吃

鴨賞、溫泉蛋、金棗、牛舌餅

臺灣武裝拓墾聚落必遊

湯圍溝溫泉、頭城搶孤、蘭陽博物館、太平山國家森林遊樂區、棲蘭神木園區、淡蘭古道

臺灣武裝拓墾聚落大事紀

❶ **1600 年代** ▸ 宜蘭平原為噶瑪蘭族領域。

❷ **1796 年** ▸ 吳沙發動武裝拓墾進入噶瑪蘭。

❸ **1802 年** ▸ 蘭陽溪南北邊平原，逐漸落入漢人掌控。

❹ **1812 年** ▸ 清帝國設立噶瑪蘭廳。

❺ **1874 年** ▸ 羅大春率軍開闢蘇澳至花蓮道路，為蘇花公路前身。

❻ **1915 年** ▸ 太平山林場開始伐木，羅東鎮為木材集中區。

❼ **1924 年** ▸ 宜蘭線鐵路通車，起於基隆，迄於蘇澳。

❽ **1986 年** ▸ 宜蘭居民發起「反六輕環保運動」，最終使臺塑放棄在宜蘭設廠。

❾ **2006 年** ▸ 耗時 10 年，全長 12.9 公里的雪山隧道通車。

❿ **2010 年** ▸ 以宜蘭自然與人文特色為主題的國際級博物館蘭陽博物館成立。

「圍」進蘭陽平原的拓墾軍團

宜蘭地區舊稱「噶瑪蘭」（Kavalan），在噶瑪蘭語中，「Kavalan」是指「平原人類」的意思。宜蘭地處於東北部的蘭陽平原，早年這塊沖積平原因為交通較為不便，是漢人甚少開發的邊區，只有非常少數的原住民族在此過著自給自足生活。在西班牙人占領臺灣北部之後，曾劃定為「噶瑪蘭省」（Cabaran）。清帝國治臺以後，宜蘭歸「諸羅縣」（今嘉義）管轄，至1723年又歸新設立的「彰化縣」管理，七年後再劃入「淡水廳」管轄。在這段期間內，清帝國政府對宜蘭地區只有名義上的管轄，並沒有真正治理。由於宜蘭被視為行政邊疆，常成為海盜、流寇的聚集地。

不過早在漢人到來的數百年前，蘭陽平原上已經有名為「噶瑪蘭人」的平埔族原住民定居在這裡，大約有三十六個社，分散在蘭陽平原上。自給自足的噶瑪蘭人也會跟漢人做生意，但他們不願意讓漢人進入平原居住，曾有不死心的漢人想入住蘭陽平原，結果遭到噶瑪蘭人的強力驅逐。

隨著越來越多人來臺開發，臺灣西半部平原已經遍布漢人村莊，移民們陸續往沿山地帶尋求可以開墾的土地，像是很多沿山地帶的客庄，是由武裝拓墾的方式發展起來的，但在西部沿山地帶也被移民逐漸占領後，大家開始將目光轉移到後山。當時有個名叫做吳沙的商人，為了想辦法打入蘭陽平原，計畫了很多年。他募集許多資金、人力，集結來自漳、泉、客等不同省籍的漢人，組成一支拓墾軍團。1796年，這支拓墾大隊攻進蘭陽平原的最北端，建立起東部第一個漢人武裝拓墾聚落，稱為「頭圍」（今日「頭城」），也為原本在蘭陽平原過著平靜生活的噶瑪蘭人，帶來翻天覆地的大改變。

面對漢人積極又頻繁的拓墾活動，噶瑪蘭人群起反攻，曾經一度逼迫漢人必須撤離頭城。但後來蘭陽平原發生嚴重的傳染病，懂得醫術的吳沙提供藥方救治噶瑪蘭人，取得他們的信任，才讓噶瑪蘭人卸下心防，同意漢人進入蘭陽平原開墾，吳沙也因此被漢人尊稱為「開蘭始祖」。為了管理不同省籍的漢人拓荒者，吳沙施行「結首制度」——十幾個人組成一個「結」，派一個「小結首」當隊長；十幾個結再組成一個「圍」，派一個「大結首」來指揮，就像一家公司一樣，大家分工合作，進行開墾。漢人沿著平原西側山腳的湧泉地帶，陸續開拓出「湯圍」（現今礁溪德陽村）、「二圍」、「三圍」、「四圍」等新據點。

從西部延燒的械鬥衝突

在吳沙過世之後，結首制度還是繼續運作，不過原本漢人和噶瑪蘭人約定只會在噶瑪蘭人居住領域以外的地方開墾，但隨著來蘭陽平原的漢人越來越多，經常越界到噶瑪蘭人的領域，雙方再度發生衝突。1802 年，九旗首發動武裝拓墾，率領將近兩千人的大軍，攻進蘭陽平原溪北的核心地帶，建立起「五圍」，也就是今天的宜蘭市。

漢人瓜分蘭陽溪以北的平原土地，漳州人、泉州人、客家人分到宜蘭市西邊到南邊的土地；而主力軍的士兵則分到宜蘭市東邊的大片土地，這個由壯丁、士兵負責開墾的新聚落就是現在的「壯圍」。其後，在臺灣各地的墾民，聽到蘭陽平原有新開發土地的機會，紛紛翻山越嶺來到蘭陽平原，連原本在彰化、臺中一帶的平埔族原住民，也加入土地競爭的行列，結果原本在拓墾組織裡不滿土地分配的泉州人和客家人，便與平埔族原住民聯手，向漳州人發動械鬥。

不過這場衝突最後還是由漳州人取得勝利，拿下溪北的大部分土地，平埔族領袖潘賢文則帶領落敗的人到溪南的「羅東」，與噶瑪蘭人合作，形成隔著蘭陽溪，溪北、溪南對峙的局面。期間雙方雖然也曾經聯手，阻止中國海盜在蘇澳登陸，只是每當危機一解除，溪北的漳州人便再次發動攻勢，趁夜渡過蘭陽溪襲擊羅東，打擊溪南的勢力，衝突一再發生，很難消停。

噶瑪蘭人的遷徙

一直等到噶瑪蘭的漢人械鬥告了一段落之後，清帝國才終於想到要把噶瑪蘭納入管轄範圍，設立「噶瑪蘭廳」，範圍大致就是今天的整個宜蘭縣。從第一個屯墾聚落「頭圍」到正式設立「噶瑪蘭廳」，只花了十五年的時間，蘭陽平原就成為漢人開闢出來的新天地，但是噶瑪蘭人也從此失去原本擁有的土地。在這段期間， 有些漢人透過武力或是土地買賣取得噶瑪蘭人的土地，也有些是透過巧取橫奪的手段，像是讓噶瑪蘭人以賒帳方式交易，再提高利息，最後他們只能用土地償還債務；或是利用噶瑪蘭人發現土地上如果有動物屍體或是人的排泄物，就會放棄耕地的習俗，特地放入動物屍體而取得土地。

噶瑪蘭族人早期因為受到漢人武裝屯墾，以及從西部遷居過來的平埔原住民逼迫，迫於生計，只好離開原居地。其後清帝國實施開山撫番的政策，即使爆發及經濟、文化等各種層面的衝突，清帝國都明顯偏袒漢人，最後終於在 1878 年爆發「加禮宛事件」。噶瑪蘭族中的加禮宛社圍攻軍營，陸續引爆大規模的衝突，戰事持續了近三個月。但後來加禮宛社仍然不敵清軍，以大敗收場，只好與這場戰役中的盟友撒奇萊雅族人，一起大規模遷往花蓮、臺東地區，尋找新的安身立命空間。

對漢人來說，或許宜蘭是最為成功的武裝拓墾地區，但對噶瑪蘭人來說，卻是一段流失土地的血淚史……

真佩服這些移民的毅力
和努力呢！

漢人移民來臺灣開墾雖然辛苦，
也有不少人因此犧牲了……

§第十一章§

大稻埕曾是個國際化商業聚落

當人們開始在臺灣各處拓墾、聚集後，各種商業聚落也隨之發展。繼艋舺之後，位在臺北盆地中央的「大稻埕」，成為北臺灣最繁華的地方，不只如此，在一百多年前，這裡也是北臺灣聚集最多外國人的地方，許多知名的歷史事件都在這個曾經熱鬧一時的商業舞臺發生。讓人驚訝的是，大稻埕的發跡其實很晚，直到十九世紀中葉前，這裡都還只是一片用來晒穀、買賣農產品的荒涼空地。究竟是什麼因素，讓它在幾年之內就躍升成為臺北的商業重鎮呢？這就要從許多人都愛喝的「茶」開始說起。

臺灣商業聚落之最

永樂市場曾是全臺最大進口布料批發地

臺灣商業聚落必吃

烏龍茶、傳統糕點、烏魚子

臺灣商業聚落必遊

大稻埕碼頭、永樂市場、臺南沙卡里巴、高雄英國領事館

臺灣商業聚落——大稻埕大事記

❶ **1853 年** ▸ 艋舺發生「頂下郊拚」，落敗者避居大稻埕。

❷ **1860 年** ▸ 淡水港開港通商，大稻埕成為新興貨物集散地。

❸ **1868 年** ▸ 英國商人約翰陶德（John Dodd）與李春生合作，將臺灣茶葉銷售到美國紐約，大獲好評，掀起大稻埕茶葉風潮。

❹ **1880 年** ▸ 大稻埕已成洋行與茶廠雲集的茶業重鎮，也是當時臺北最現代化的市街。

❺ **1900 年至 1920 年** ▸ 大稻埕商圈持續繁榮，餐廳、咖啡廳、酒家、劇院紛紛設立。

❻ **1921 年** ▸「臺灣文化協會」於大稻埕靜修女中舉辦創立大會。

❼ **1930 年** ▸ 畫家郭雪湖以大稻埕街景為主題的作品《南街殷賑》，於臺灣美展中獲賞。

❽ **1947 年** ▸ 大稻埕天馬茶房前發生軍警傷人案，引爆「二二八事件」。

❾ **1996 年** ▸ 首度舉辦「年貨大街」活動，重新打響大稻埕名聲。

❿ **2015 年** ▸ 每年十月開始舉辦「大稻埕國際藝術節」活動，透過多項藝文展演重現大稻埕風華。

曾經，這裡是械鬥輸家逃亡之地

在大稻埕崛起之前，臺北最熱鬧的商業聚落位在新店溪與大漢溪交界處東岸的「艋舺」，也就是今天的臺北市萬華區。這是因為以前船隻可以沿著河流航行，抵達現在新北市的三峽、新店，甚至是桃園大溪，所以位在淡水河中游的轉運站「艋舺」，可說是掌握著北臺灣從山到海的貿易動線。那時候的艋舺人，主要是來自中國福建南安、惠安、晉江三個地方的泉州移民，他們又被稱為「三邑人」，現在供奉觀世音菩薩的艋舺「龍山寺」，就是他們的信仰中心。龍山寺兼具宗教與社會功能，不管商業會議或地方糾紛，都要在龍山寺的神明面前決斷；要跟士林、板橋的漳州移民械鬥時，艋舺人也會以龍山寺作為指揮總部。

當時，做生意的商業公會叫做「郊」，例如，賣糖的叫做「糖郊」、賣茶的叫做「茶郊」；去泉州買賣的叫做「泉郊」，因為泉州比較偏北，又稱為「頂郊」；去廈門買賣的叫做「廈郊」，也叫「下郊」。由於「下郊」的同安人，不滿碼頭被「頂郊」的三邑人把持，而以龍山寺為據點的三邑人也看不慣同安人與漳州人走得比較近，雙方終於爆發一場名為「頂下郊拚」的械鬥，結果「下郊」同安人不敵「頂郊」三邑人，只好帶著他們的「霞海城隍爺」神像，倉皇逃到「大稻埕」這塊荒地。

這一逃，卻讓他們意外搭上了新時代的商業熱潮，也讓大稻埕自此登上歷史舞臺。

製茶產業讓大稻埕走向國際化

十九世紀後期，清帝國開放臺灣的港口給西方國家做生意，其中最有發展潛力的產業就是「茶葉」。外國商人看準了茶葉商機，積極在北臺灣投資，打造「福爾摩沙烏龍茶」（Formosa Oolong）的品牌，外銷到國際市場。

原本外國商人想在最熱鬧的艋舺開茶廠，但受到艋舺人排擠，於是轉往北邊的大稻埕落腳，並將加工、包裝、倉儲、運銷等製茶產業鏈，全面引進大稻埕。後來外國領事館也陸續進駐，讓大稻埕的河畔充滿歐洲風情，變成北臺灣最多外國人居住的地區。

因此，當劉銘傳擔任首任臺灣巡撫時，便把大稻埕規劃成西洋人的居留地，並與富商林維源、李春生等人合作，在大稻埕周邊蓋了電信總局和鐵路，可以隨時收到市場上的新消息。商人希望有新式建設有助於生意發展，而官府希望經濟繁榮之後，可以得到更多稅收，就這樣，在官商合作下，開發最晚的大稻埕後來居上，成為十九世紀末臺北最繁華的商業聚落。

除了製茶產業，中藥、布料、南北乾貨等各式商行，也在大稻埕蓬勃發展，形成一條南北向的商店街，也就是現在每逢農曆新年就會熱鬧非凡的「年貨大街」迪化街。在大稻埕的商店街，兩側窄長的街屋林立，各家的騎樓與磚牆相連，街屋內部則依照深度隔出店鋪、倉庫和店家的生活空間，機能相當完整。

到了日治時期，經過多次市區改正，大稻埕更名為「永樂町」，迪化街也更名為「永樂町通」，日本政府更訂出建築規則，要求商店街提供更多行走空間。這些新的建築技術、材料和風格，也影響了臺灣的街屋。現在的大稻埕迪化街、新北市三峽老街，以及桃園大溪老街，都有建築風格極為類似的街屋，大部分都是日治時代留下來的。

除了商業活動，大稻埕也是文化重鎮

為了服務來來往往的顧客，餐廳、酒家、咖啡廳等場所也陸陸續續開設，像是「波麗路」、「山水亭」，都是臺灣人經營的餐館，這些餐館也成為日治時期從事創作的臺灣藝術家最佳聚會場所，臺中出生的作家兼歌唱家呂赫若就經常和友人在山水亭討論劇本；而出生在大稻埕的畫家郭雪湖，作品曾多次入選當時日本和臺灣最頂尖的畫展，他以大稻埕的熱鬧景象為主題，畫出了知名作品〈南街殷賑〉，更充分表現出了 1920 年代大稻埕的風華。

■ 屈臣氏大藥房建於 1917 年，當時是進口西藥為主。建築外觀為石造，屬於現代主義式的建築。

除此之外，熱鬧的大稻埕也是日治時期臺灣人政治運動的大本營。熱心的臺灣仕紳和知識分子，像是林獻堂、蔣渭水、蔡培火等人，在大稻埕創立「臺灣文化協會」，透過公開演講、放映影片、發售刊物等方式宣傳，期望提升臺灣人的文化與知識水準。臺灣文化協會的活動，影響了後續一連串的「農民運動」、「臺灣議會設置請願運動」等政治運動，讓臺灣人更勇於抗議日本政府不公平的政策，維護自己的權益。這些文化菁英在觥籌交錯之際，也讓大稻埕因此成了民主文化薈萃之地。

因為商業聚落的發展，以及後來的文化活動，大稻埕在經濟、社會以及藝文發展上，都有驚人的發展。值得一提的是，歷經各個不同族群的文化洗禮，也讓大稻埕的建築融合了閩南式、洋樓、巴洛克及現代主義等多種風格，牆面上也有各種美輪美奐的裝飾。如果有機會到大稻埕一遊，可千萬不要錯過超有代表性的屈臣氏大藥房、迪化街郵局等特色建築喔！

歷史故事延伸影音 

Taiwan Bar -【故事・臺北第 6 話】
迪化大幫小傳

§第十二章§

臺灣礦業聚落的「黃金傳說」

山城九份知名「丰字型」的豎崎路，依山傍海、風景秀麗，每年吸引了許多國內外的遊客造訪。在多達三百多階的石階路旁高掛燈籠的觀景茶樓，更為這個山城增添了不少懷舊風情。不過，你知道嗎？早在兩百年前，九份跟金瓜石就形成熱鬧的聚落了。這裡曾是北臺灣貴金屬的重要產地。只要有利可圖，再偏遠的礦區都會吸引冒險者前仆後繼的前往開採。這也是為什麼地形崎嶇又偏遠、氣候潮溼多雨的九份和金瓜石，在那麼古早的年代會就建立起繁華的商業聚落。

臺灣礦業聚落之最

苗栗公館鄉的出磺坑是亞洲第一座、世界第二座油氣田，早在 1877 年，清帝國政府就請美國技師來臺鑽鑿

臺灣礦業聚落必吃

芋圓、草仔粿、茶點、福菜麵

臺灣礦業聚落必遊

阿妹茶樓、黃金博物館、臺陽礦業事務所、臺灣油礦陳列館

臺灣礦業聚落——金九地區大事紀

❶ **1590 年** ▶ 西班牙人手稿中出現呈現佩戴金飾、手持黃金骷髏樣貌的北臺灣原住民。

❷ **1890 年** ▶ 鐵路工人在基隆河裡發現砂金，掀起掏金熱潮。

❸ **1893 年** ▶ 淘金客溯源，發現了九份及金瓜石的黃金礦山。

❹ **1897 年** ▶ 臺灣總督府將金九礦山交由日本礦業公司投資開採。

❺ **1920 年** ▶ 基隆礦業家族的顏雲年籌組「臺陽礦業株式會社」，為第一家臺灣人經營的礦業公司。

❻ **1930 年～ 1945 年** ▶ 九份與金瓜石礦區巔峰，曾是亞洲貴金屬產量最高的礦區。

❼ **1945 ～ 1960 年** ▶ 礦場逐漸枯竭，獲益大為下降。

❽ **1971 年** ▶ 金九地區結束金礦開採，煤礦則持續經營。

❾ **1984 年** ▶ 土城、三峽與九份接連發生慘重的煤礦礦災，政府下令全面停止採礦。

❿ **1989 年** ▶ 侯孝賢以金九地區為背景拍攝電影《悲情城市》，榮獲威尼斯影展金獅獎，是臺灣電影首度在世界三大影展中奪得首獎。

基隆河是黃金河？

自古以來，人類就對黃金這種黃澄澄的貴重金屬難以抗拒，在世界各地的文化中，黃金都是財富與權勢的象徵，用來彰顯奢華氣派，表現至高無上的地位。十六世紀末到訪臺灣的西班牙人與荷蘭人，就已經注意到臺灣東部與北部沿海的原住民，會使用黃金來裝飾和交易了；甚至在一幅早期的西班牙畫作〈雞籠人、淡水人〉中，更記錄著臺灣島原住民戴著金色耳飾和手環，其中一個女性原住民的懷裡，還抱著一顆金色的骷髏頭。曾到北投的探險家郁永河也曾在著作《番境補遺》中提及在臺灣東北角一帶出產黃金，有的像瓜子一樣大，溪水裡也經常有碎碎的沙金。每當原住民從高處看見水中映著金色，就會趕緊跳到冰冷的溪水裡，冒著失溫的風險淘金。

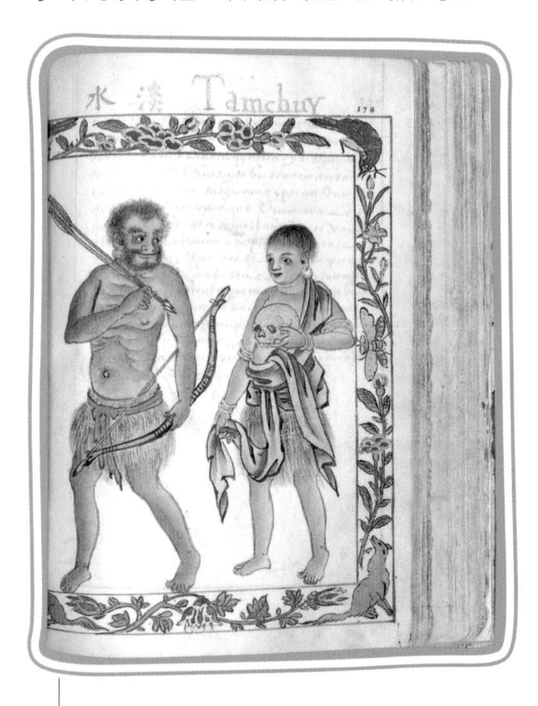

■ Boxer Codex 中曾描繪臺灣原住民圖像，是臺灣史最早的文獻之一。

難道臺灣原住民真的知道哪裡有金礦嗎？十七世紀中期，西班牙人與荷蘭人都曾發起好幾次探勘行動，雖然曾成功抵達傳說中出產黃金的花蓮「哆囉滿」，卻因為後勤補給困難，無法進一步探勘與開採金礦，所以一無所獲。雖然文獻中的「黃金傳說」流傳許久，但在十九世紀以前，臺灣都沒有真正開採金礦。直到清帝國在北臺灣開築鐵路時，有一個工人在基隆河邊休息，意外發現了河中有不少沙金，「基隆河是黃金河」的傳聞也就此傳開。當時甚至有很多曾在美國開採黃金的

工人也都跑到臺灣來淘金，從八堵、暖暖、四腳亭到瑞芳，整個基隆河流域每天排滿了好幾千人，沒日沒夜的挖啊挖。順著溪流向上，淘金客終於發現金礦的源頭是在九份、金瓜石一帶的山間。

金九地區消費力超高？

為了便於管理，清帝國設立官方的「金砂局」，規定想來淘金的人，必須排隊跟金砂局買門票。只不過，金砂局才經營了短短的十個月，就因為臺灣割讓給日本而中止。到了日本政府治理時代，總督府把東北角的礦山劃分為兩個部分：東邊是金瓜石礦山，由「田中組」公司經營；西邊是包含九份在內的瑞芳礦山，由「藤田組」經營。

這兩個日本公司引進新穎的採礦技術和機械設備，讓金九地區的礦物產量大幅增加。於是，工程師來了、業務員來了、礦工來了，做生意的商家也統統來了，一改舊時原有的農村風貌，繁華熱鬧的礦業聚落就此形成。

由於出產黃金，獲利可觀的礦業公司員工出手大方，消費力更是驚人，為了滿足他們下班後的休閒需求，當時在金九地區的娛樂消遣產業也十分發達，光是酒家就有十多間，甚至有「上品送金九、下品送臺北」的說法，意思就是說，好東西要先送到金瓜石和九份，因為這裡的人買得起且出手大方！

不過，開採多年以後，九份一帶的礦產漸漸衰退，後來，經營瑞芳礦山的藤田組便把經營權租給基隆人顏雲年。顏雲年經營礦坑後，開放讓淘金客能自行深入礦山尋找礦脈，成功讓九份礦區起死回生，找出更多金礦，顏雲年也因為巨額獲利，買下更多採礦權，成立第一個臺灣人經營的礦業公司：「臺陽礦業株式會社」，而基隆顏家也成為赫赫有名的家族。

另外一邊的金瓜石礦區發展又是如何呢？在日本企業經營下，金瓜石開始發展金、銀、銅等貴金屬礦業。後來，日本的大財閥「日本礦業株式會社」，更買下了金瓜石礦山經營權，並興建當時亞洲最大的選礦場，讓金瓜石的貴金屬產量登上亞洲第一。

九份和金瓜石這兩座相鄰、發展相似的礦業城鎮，因為經營模式不同，呈現出不同的聚落氛圍。當時金瓜石在日本人的管理下，顯得比較有秩序；九份雖然比較自由，但相對治安也較差。

礦業沒落卻迎來觀光人潮

但是，為什麼現在臺灣的礦業幾乎停擺了呢？原來是因為戰後受到國際金價、銅價的影響，在臺灣採礦的成本不斷飆高，漸漸無利可圖，接手經營的臺灣金屬礦業公司雖然嘗試過多次轉型，終究因為虧損嚴重而宣布歇業。除了金礦，盛及一時的煤礦也走向沒落，礦坑設備逐年老舊，各地接連發生多起礦災，包括九份的煤山煤礦也曾因為火災造成一百多人死亡。嚴重的礦災意外頻傳，最後終於讓政府決定全面停止開採煤礦。

當金礦、煤礦等礦業都停止運作後，九份和金瓜石居民失去了經濟來源，所有的商業活動也幾乎停擺，青壯年人口只好大量外移到其他地方謀生。不過，1989 年奪下威尼斯影展「金獅獎」、由國際知名導演侯孝賢執導的電影〈悲情城市〉，全片有多處場景在金九地區取材，意外讓國內外遊客重新注意到九份和金瓜石的礦業遺跡與獨特山景，也讓此處在廢棄多年以後，竟然成了臺灣最具代表性的觀光景點之一！這個昔日繁華的礦業聚落又再度迎來人潮。

來到九份，踏上豎崎路的階梯，除了拍下眼前的景色，吃一碗美味的芋圓，建議你不妨也去黃金博物館走走，參加淘金體驗活動，或是到老礦坑參觀，身歷其境這個礦業聚落的歷史興衰，相信一定會有非常不一樣的感受喔！

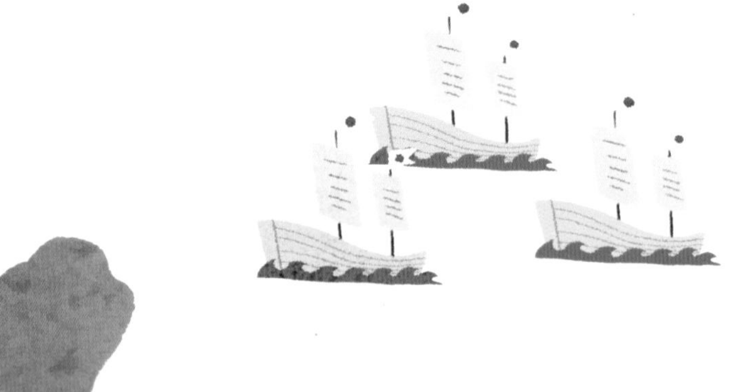
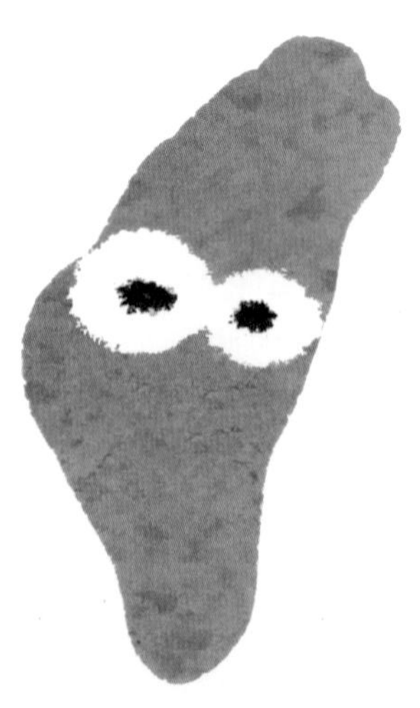

§ 第十三章 §

日本移民聚落是回不去的鄉愁

臺灣在清帝國與日本政府治理時期，都有眾多渡海來臺的移民，他們來到臺灣後又聚集形成獨有的聚落。而在清帝國將臺灣割讓給日本後，另有一批從日本移居來臺的日本人，也跟本土臺灣人一樣，受到各種治臺策略影響與跨文化的衝擊，他們所居住的「日本移民村」，更成為最具日本文化特色的聚落。不過，讓人好奇的是，當年移民到臺灣的日本人都是從事哪些工作，又是過著什麼樣的生活呢？

臺灣移民聚落之最

臺灣總督府設立第一個官營的日本移民村「吉野村」，全村約有一千三百多位移民

臺灣移民聚落必吃

香蕉乾、日本特色料理、日式和果子

臺灣移民聚落必遊

吉安慶修院、松園別館、林田山林業文化園區、青田七六、瀧乃湯、臺中刑務所演武場

臺灣移民聚落——日本移民村大事紀

❶ **1887 年** ▸ 日本學者福澤諭吉發表「移民殖產論」，主張應該讓日本人移民到熱帶地區進行開發。

❷ **1895 年** ▸ 臺灣島成日本帝國的殖民地。

❸ **1908 年** ▸ 太魯閣族七腳川社反抗日本統治，遭到日軍鎮壓，土地被政府沒收。

❹ **1910 年** ▸ 首度官營日本移民 1270 人，建立「吉野移民村」。

❺ **1913 年** ▸ 再度官營移民 674 人，建立豐田村（今花蓮縣壽豐鄉）。

❻ **1914 年** ▸ 三度官營移民 767 人，建立林田村（今花蓮縣鳳林鎮林田村）。

❼ **1917 年** ▸ 由於收支難以平衡與成效有限，官營移民政策暫時中止。

❽ **1920 年～ 1930 年代** ▸ 日本本島遭逢大地震及經濟危機，大量失業人口引發社會問題，官營移民政策再次啟動。

❾ **1945 年** ▸ 日本宣布投降並放棄臺灣，中華民國政府代表盟軍接收臺灣。

❿ **1946 年～ 1949 年** ▸ 陸續遣送在臺日本人。

日本移民村政策

十九世紀後期，日本國內的人口持續增加，大多數的人沒有足以維生的土地，導致生活貧困，形成許多社會問題。當清帝國與日本簽訂《馬關條約》之後，臺灣島成為日本的「殖民地」，同時也順理成章變成日本海外拓殖的新天地。

當時日本政府制定《移民保護規則》，幫助農民順利移居北海道或是海外的夏威夷、美國、巴西等地，當然也包括殖民地臺灣。不過，想移民到臺灣可不是一件簡單的事情。想移民臺灣的日本人，必須經過嚴格的審查，要抱有「永遠住在臺灣的堅強意志」，並且「品行端正無惡習」、「勤儉敬業，保有日本人的體面」，最重要的是，必須「全家一起移民」。

當日本政府開始治理臺灣後，臺灣總督府為了這群移民規劃出不少居住的地區，也稱為「日本移民村」。全臺灣各地約有二十幾座移民村，其中年代最早、規模也最大的，是位於花蓮的「吉野村」（位於今日花蓮縣吉安鄉），它是臺灣日治時期第一個官營的日本移民村，有移民示範村意味。初期共有約 61 戶左右移居此地，除了居家住宅外，還設立了吉野神社、吉野尋常高等小學校（現今吉安國小）、真言宗吉野布教所（現今的慶修院）、醫療所等公共設施。除此之外，為了農作開發，也開設了灌溉水路，並設置水車，讓農民有灌溉水源，也能夠利用水車碾製白米與麵粉。

■ 日治時期吉野村街景，路上還有牛車，著實是個農村景色。

充滿帝國主義色彩的移民政策

日本政府讓本國農民移居到臺灣，還有另一個更重要的目的——當時的日本是個新興的帝國，想積極證明自己和西方帝國一樣，具有統治殖民地的能力，而讓國內人民移民到殖民地，就象徵「我們征服了這個地方」！此外，如果臺灣島內的日本人越來越多，除了能確保日本人的統治權，也有機會對臺灣人發揮「同化作用」，讓臺灣人漸漸變成日本人。

更長遠來看，日本帝國一直希望能往南方擴張，以取得豐沛的熱帶資源，而位在亞熱帶的臺灣，就是最好的「南進基地」，日本人可以在這裡研究、生活，並適應熱帶環境，為將來進軍東南亞做準備。於是，第一批由日本政府獎勵和主導的「官營移民」，大約三百人來到花蓮，安排在「吉野村」生活，並陸續建立了豐田村和林田村等移民聚落。

從絕望到找回希望的移民生活

雖然移民村看似一切生活便利，不過，當時日本移民村的生活真的有如天堂般美好嗎？

答案是否定的！根據吉野村的日本農民在回憶錄裡所敘述：剛來到吉野村時，房子被芒草重重包圍，兩公尺以外就看不到東西，根本不知道自己身在何處。而且，聽說原住民隨時有可能來搶回土地，讓人非常緊張，每天出門都像是生離死別一樣！為了開墾荒地，農民每天辛勤工作，但在營養不良又過度勞累的情況下，紛紛染上瘧疾、恙蟲等疾病，加上種植的作物只要一冒出嫩芽，就會被野豬、野鹿啃食破壞，讓這群移民的身心飽受折磨。

好不容易等到土地開墾完成，卻又接連碰上颱風、豪雨、旱災來襲，不僅田地被沖毀，房屋也倒塌，幾年來的打拚毀於一旦，大大打擊了移民村的士氣。貧窮、疾病、天災與死亡，讓移民村瀰漫著絕望的氣氛，有些人最終選擇放棄，回到日本；但也有許多人是變賣在日本的家產、帶著全家一起來臺灣開墾，說什麼也得想辦法堅持下去。

在政府的協助之下，醫院、學校、神社等公共設施陸續蓋起來，苦撐幾年之後，日本移民漸漸克服在異鄉臺灣生活的困難，種植的水稻、甘蔗、菸草收獲也越來越好，一切努力總算有了回報。

歷盡千辛萬苦，終於可以過得安穩，讓這些日本農民有了信心，決定永遠住在臺灣，當初一起接到臺灣的孩子，也已經長大成人，與其他移民家庭的日本人，一起在臺灣生養了下一代。這些在臺灣出生的日本人，被統稱為「灣生」。

灣生的故鄉是臺灣還是日本？

在移民村出生的「灣生」，就和其他農村孩子一樣，留存著美好的兒時記憶，像是在田裡抓青蛙、撿芒果，或是和臺灣人的小孩一起去偷挖地瓜等，對他們來說，臺灣就是他們的故鄉。

然而當第二次大戰結束，日本宣布投降之後，絕大多數在臺灣的日本人，不管在臺灣住了多久、願不願意，都被命令要遣返日本。住在移民村的灣生，也不得不搭上大船，離開純樸美麗的出生地，前往陌生的日本「原鄉」重新開始，甚至必須居住在政府規定的區域。許多灣生在長大之後，仍懷抱對臺灣故鄉的依戀，甚至過了數十年，仍盼望著回到故鄉移民村，尋訪曾經生活過的記憶。當時也有少數灣生主動放棄日籍，改成中文名字，就此隱姓埋名，留在臺灣生活。這群灣生終其一生的鄉愁，在在刻劃出時代的眼淚與辛酸。

§第十四章§

打開眷村聚落的竹籬笆

在中華民國政府來到臺灣之後，數百萬的軍隊、公務員與其家眷必須在臺灣重覓住所；而安頓他們的聚落，就統稱為「眷村」。當時臺灣被視為中華民國的一個省，而這些從中國各個省分來的人，就被稱為「外省人」。因此，說起臺灣的眷村，許多人首先聯想到的就是：那是「外省人的聚落」。究竟這些分布在臺灣各地的眷村，有著什麼樣特別的生活風貌呢？

臺灣外省聚落之最

全臺灣曾經有高達有 886 個列管眷村，根據中研院研究，國內第一個眷村是位於高雄的誠正新村，為黃埔新村前身

臺灣外省聚落必吃

眷村菜、牛肉麵、永和豆漿、燒餅、油條

臺灣外省聚落必遊

四四南村、空軍三重一村、寶藏巖聚落、光復新村、審計新村

臺灣外省聚落大事紀

❶ **1945 年～1947 年** ▸ 中華民國政府接收臺灣，日治時代的官員或軍警宿舍即被接收為政府宿舍。

❷ **1948 年** ▸ 興建「四四南村」，是臺灣第一座由政府建設的大型眷村。

❸ **1949 年** ▸ 中華民國政府全面撤退來臺，上百萬外省移民湧入臺灣，部分難民占居空地，形成臨時眷村聚落。

❹ **1956 年** ▸ 婦聯會發起全臺各地興建眷村。

❺ **1977 年** ▸ 行政院開始以興建國宅的方式，安置部分眷村居民，並拆除不合法的臨時眷村。

❻ **1987 年** ▸ 政府開放外省移民可以回到中國大陸探親。

❼ **1996 年** ▸ 通過《國軍眷村改建條例》，老舊眷村逐漸因拆除或改建而消失。

❽ **2002 年** ▸ 新竹市成立首座「眷村博物館」。

❾ **2003 年** ▸ 四四南村被登錄為歷史建築，是第一個獲得保留的眷村。

❿ **2005 年** ▸ 全臺陸續設置眷村文化園區，保留眷村代表性歷史建築。

風貌多元的眷村

二次世界大戰結束後，日本宣布投降，中華民國政府代表同盟國，接收日本人留在臺灣島上的所有資產，包括許多公家機關與軍方的建築物，其中像是警察宿舍、陸軍宿舍，原本就是日治時代的官眷住所，後來也成為最早來臺灣的中華民國軍人、公務員，以及他們家屬入住的地方。

這些日式宿舍多是用臺灣的高級木材建造，空間開闊，居住品質也不錯。有些高階軍官可以分配到一間獨棟的日式宿舍，但較基層的軍官或公務員，則可能兩、三個家庭擠在一棟宿舍。例如，高雄鳳山的「黃埔新村」，原本是二戰時期日軍軍官的宿舍，在中華民國「黃埔陸軍官校」搬到高雄之後，就以它作為軍校軍官們的眷村了。這些由日式宿舍改建的眷村，就是第一代的眷村樣貌。

不過，隨著遷居臺灣的軍民越來越多，原先日本人留下的房屋已經不夠住了，有些部隊只好直接在營區附近搭起建物來安置軍民。國軍在臺灣搭建的第一座大型眷村，就是位於臺北市信義區的「四四南村」，它是由聯勤第四十四兵工廠的工兵利用營區附近的老舊廠區、庫房和空地整建而成的，位於四四兵工廠之南，所以才名為四四南村，居民大多是四四兵工廠的廠工和士兵。早期四四南村內沒有自來水設施，每戶空間不到十坪，生活空間狹小，屋內也沒有廁所，只能仰賴村內的公共廁所。

從暫住到久居的外省人

不過，還有一種眷村樣貌是在空地搭起的違章建築。當時來到臺灣的不只是中華民國國軍，也有許多躲避國共內戰的難民，他們原本認為國軍很快就會「反攻大陸」，心想應該不需要忍耐太久，所以選在空曠的地方搭建簡陋房屋，能擠多少人就擠多少人。沒想到，一年又一年過去，許多人就這樣在臺灣住了一輩子。像是臺北市最大的公園「大安森林公園」，在日治時期原是公園預定地，到了中華民國政府遷臺後，曾有許多外省移民在那裡搭建違章建築，人數最多時甚至曾經高達數千人，分布著空軍建華新村、陸軍岳廬新村、憲兵藝工大隊等眷村。

在 1957 年以後，由蔣介石夫人蔣宋美齡與許多軍官夫人組成的團體「中華民國婦女聯合會」（簡稱婦聯會）主導發起興建新型眷村。當時在臺灣不管是進出口貿易，或是買票看電影，都會被課取「勞軍捐」，當作軍人的福利經費，其中有一部分就用來建造新眷村。這種新型眷村通常規劃成社區住宅，以鋼筋水泥建造，讓軍人眷屬貸款購買，住久了之後，就可以取得房子的所有權。到 1992 年為止，在全臺灣各地興建的新型眷村，共安頓了五萬三千多戶軍眷。

早期眷村因為軍人身分特殊，加上許多眷村聚落都在軍營附近，戒備較為森嚴，因此也相對封閉，少與眷村外的一般民眾互動。不過眷村內的居民則情感連結緊密，彼此之間互通有無、經常交流，眷村的媽媽們除了互相關懷、照顧彼此之外，更時常分享拿手菜。由於他們大多從中國各省分移民而來，各地的名菜和飲食習慣也跟著帶來臺灣，像是各地料理與麵食文化，都是二戰後隨這些移民而來。為了解決物資缺乏的困境，各家也會製作手工藝品或是利用簡單的食材，創作獨家口味的菜色。

都市更新之後，昔日眷村今何在？

早期的眷村多會用竹子做成圍牆，因此許多眷村都有「竹籬笆」的暱稱。眷村裡的居民，有相近的職業和背景，經歷顛沛流離，在刻苦的環境中互相扶持，努力維持一個容身之處，這也讓眷村居民養成團結互助的生活文化。

五十多年之後，眷村生活成為許多人難忘的生命記憶，然而，隨著都市發展與人口增加，老舊擁擠的眷村，成了都市更新的首要目標。有些眷村被改建成公寓大廈，例如，桃園的「千禧新城」，就是合併「陸光三村」、「克勤新村」、「貿易一村」、「精忠五村」等多個眷村，改建而成的新社區大樓。有些眷村，則以文化資產的方式保存了下來。現在，走進那裡，你還可以看到牆壁上「反共抗俄、增產報國」的標語，或是青天白日滿地紅的中華民國國旗，彷彿時光倒流，回到那個相互依存、謀求反共復國的年代。

離開封閉的竹籬笆之後，眷村出身的外省第二代、第三代，如今在各行各業裡發光發熱，日久他鄉變故鄉，現在眷村文化也成為戰後臺灣歷史的重要一頁。

■ 位於臺中的彩虹眷村原為老兵自行籌建，後因退休榮民黃永阜的彩繪而引起關注。目前以「彩虹藝術公園」保留，每年吸引許多國內外遊客參訪。

為什麼許多眷村都有這些標語啊？
這些標語有些是宣導，有些則是眷村居民們的共同話題跟心願喔！
莊敬自強
配合軍
加強民防

臺灣的關鍵地點：**六都的形成篇**

§第十五章§

臺灣最古老的城市——臺南

一提到臺南，很多人馬上會聯想到古都文化跟美食、小吃了！沒錯！臺南市正是全臺灣最古老的城市，城市中處處可見遺留下來的歷史建築或古蹟。這個名符其實的「古都」，更有著獨特的文化氣質，彷彿融入當地人的血液中。甚至有人說：大臺南是臺灣的「文化首都」，擁有最具軟實力的歷史文化與觀光資源，也因而在 2010 年取得縣市合併升格的機會，成為六都之一。

臺南之最

臺灣本島最早開發的城市

臺南必吃

蚵仔煎、鱔魚意麵、魚麵、沙茶羊肉爐、牛肉湯

臺南必遊

安平古堡、赤崁樓、臺江文化公園、五條港文化園區、德記洋行、林百貨

臺南大事紀

❶ **1600 年代** ▸ 沿海地區為西拉雅族臺窩灣社領域，沿海倒風內海、臺江內海兩個大潟湖。

❷ **1624～1662 年** ▸ 荷蘭人在沿海地區建立根據地，做為亞洲南北貿易的中繼站。

❸ **1662 年** ▸ 鄭成功軍團趕走荷蘭人，據地作為反攻清國基地。

❹ **1683 年** ▸ 清帝國接收臺灣，以今日臺南所在的「臺灣府」做為全臺政治與經濟中心，地位形同首都。

❺ **1731 年** ▸ 倒風內海因主要溪流改道逐漸消失，變成平原，鹽水和麻豆港等，從港口聚落轉型為農村。

❻ **1823 年** ▸ 臺江內海逐漸淤積陸化，形成今天臺南市區土地。

❼ **1875 年** ▸ 臺灣行政中心北移至，臺灣府改名為「臺南府」。

❽ **1880 年** ▸ 清代臺灣蔗糖外銷創造高峰，銷售 1 億 4150 萬磅，其中八成製糖業集中於大臺南地區。

❾ **1922~1926 年** ▸ 開築連通安平港至臺南市區的新臺南運河，沿用至今。

❿ **2010 年** ▸ 臺南縣市合併一升格為直轄市。

「臺灣」就是「臺南」……

你知道，以前「臺灣」指的其實是臺南嗎？

古臺南是一片由急水溪、曾文溪、鹽水溪等多條河流沖積而成的廣闊平原，西側的出海口因為大量泥沙堆起沙洲，形成「倒風內海」和「臺江內海」兩座大潟湖。換句話說，現今的臺南市安平區和安南區一帶在古時候可能都沉在潟湖裡。因而早期中國的沿海地區漁民，把臺南這一帶沿海潟湖稱為「大灣」、「臺員」或「大員」，指的就是潟湖形成的大海灣，這裡不僅是捕魚季節適合停靠的工作站，也是在「海禁」時代，偷偷和日本人、西洋人做買賣的好地方。到了十七世紀荷蘭治臺時期，「大員」指的則是「熱蘭遮城」（今日安平古堡）所在的一鯤鯓。而在明帝國官方文書中，更曾經記載這個地方就叫做「臺灣」。

這塊廣闊平原原本聚集了許多平埔族社群，其中居住在內海周遭的平埔原住民，包括「麻豆社」、「蕭壠社」、「目加溜灣社」及「新港社」等，他們在內海的沙洲以捕魚、狩獵維生，並和中國沿海的漁民或是跨海貿易的西方人有生意往來。

占領臺南就能成為「臺灣王」

十七世紀時，想在亞洲尋找貿易據點的荷蘭人，原本打算在距離中國比較近的澎湖落腳，卻遭到明帝國軍隊驅趕。後來，荷蘭人與明帝國官員達成協議，決定搬到澎湖海外的「大員」來。這個地方除了本來就是貿易熱區，還有易守難攻的地形優勢，更重要的是——這裡不屬於任何政府管轄。於是，1624 年荷蘭人在沙洲上建立起一座可鎮守海灣的城堡，這是臺灣的第一座城堡，荷蘭人把它取名為「熱蘭遮城」（Zeelandia），意思是「海陸之城」。

為了在臺南進行開發，荷蘭人還向平埔族買下熱蘭遮城對面的溪邊平原土地，建立一個城鎮行政區「普羅民遮」，位置就在今天的赤崁樓附近，並招募許多漢人，打造可容納上千人的歐洲風市鎮。臺南就此躍上歷史舞臺，成為全臺灣發展最早的市鎮！

不過，後來鄭成功的軍隊來到臺灣，擊敗了荷蘭人，奪下大員，並繼續在這裡經營海外貿易，以支撐鄭家對抗清帝國的戰爭，在鄭成功死後，由他的兒子鄭經繼位，更將漢文化引進臺灣。從一些歷史紀錄上，可以看到當時曾到臺南貿易的英國人，稱呼統治者鄭經為「臺灣王」，當時他們進出安平港時，還要繳交武器、驗明正身。可以說，臺南彷彿就是鄭氏家族的王城。

只是，把臺灣當成據點，力抗清帝國的鄭氏家族，最後卻在澎湖之戰大敗，鄭家第三代的統治者鄭克塽宣布投降。從此，清帝國的勢力延伸到了臺灣島上，並在臺南設立「臺灣府」，作為清帝國在臺灣的行政中心。

臺南是天后和王爺的發源地

清帝國統治臺灣島兩百多年，漢人移民越來越多，臺灣府不但成為政治、經濟上最重要的「府城」，更是各式傳統建築、禮俗、廟會與信仰習俗的發源地。直至今日，在臺南仍處處可見這些文化傳統的軌跡！

舉例來說，臺灣到處都有廟宇，尤其是「天后宮」更是不少，但全臺廟宇祭祀最多的竟然不是媽祖，也不是關公，而是「王爺」！臺灣最古老的「王爺」廟，則是臺南的「南鯤鯓代天府」。王爺信仰是什麼呢？其實它是用來驅逐疫病災厄的民間信仰，嚴格來說，「王爺」並不是特定的一尊神明，只要是歷史上有名的人物，或是對地方有貢獻的人，都可能成為信徒崇拜的王爺。而臺南的「南鯤鯓代天府」更是聲名遠播，據說從這裡分靈出去的王爺，就有將近兩萬尊！也因此被視為全臺灣的「王爺總廟」，每年在代天府王爺的生日前夕，臺灣各地的王爺廟都還要回臺南去「進香」呢！

不過，值得一提的是，由於沿海一帶有許多人從事漁貨捕撈工作，因此在中國東南沿海有著舉足輕重地位的海神信仰——媽祖，也傳來臺灣。臺灣的媽祖信仰最早可以回溯到明帝國時期，當時就有一些漢人移民將媽祖神像帶來臺灣。而全臺灣第一座官建媽祖廟「大天后宮」就設立於臺南，這個大天后宮的前身是明帝國的寧靖王府邸，在鄭氏家族投降清帝國後，清帝國官府才將它改建為媽祖廟，並追封媽祖為天后。

身為媽祖信仰的發源地，臺南的媽祖信仰至今還非常鼎盛呢！據說，曾有信徒為了感謝媽祖庇佑，還將珍珠項鍊、紅寶石戒指、LV 包等飾品作為神明謝禮，因此在臺南的廟會出巡時，就有機會看見全臺灣最時尚的媽祖喔！

臺南從什麼時候叫「臺南」呢？

臺南是臺灣本島最早開發的都市，不過早期鄭氏家族在這裡設立「承天府」，管轄天興縣與萬年縣。到了清帝國治理時，則習稱臺南為「臺灣」或「府城」。一直到十九世紀後期，由於清帝國把「臺灣府」移到中北部地區，並把原本在南部的舊府城改名為「臺南府」，從此才有了臺南的稱呼。

接下來的日治時代，臺灣總督府沿用「臺南」這個行政名稱，先後設置了臺南縣、臺南廳、臺南州。臺南這個地名，才漸漸深植在臺灣人心中，成為這座古都的名字。說起來，「臺灣」本來指的只是臺南一帶，或許因為實在太重要、太有名了，才漸漸變成整座島嶼的代表詞吧！

如果有機會來到古都臺南，不妨留一天走訪安平，這裡可說是大臺南歷史的起點，它曾是廣闊的「臺江內海」，因為河流改道淤積而形成一片海埔新生地。在這裡有荷蘭時代的「熱蘭遮城」；有清帝國時代的「億載金城」，並保留了完整的清代砲陣地；還有日本治理時期的「夕遊出張所」，曾是管理沿海鹽業的辦公室。近年來在這一帶更有新景點，像是沙灘上的「漁光島」就成為藝術家展現創意的園地。只要走一趟安平，就有機會在一天之內看完臺灣的荷蘭時代、鄭氏王國時代、清帝國時代和日治時代的歷史足跡，堪稱是最具代表性穿越時空的臺南遊呢！

§第十六章§

港都高雄的前世今生

六都之中，緊接在臺南之後發展的城市，是具有地緣之便的高雄。說到高雄，許多人會立刻聯想到它的別稱「港都」。事實上，港口的確是高雄市發展的命脈，不過在荷治和鄭氏王國治理時期，這裡還只是個小小的漁村，究竟是經歷了什麼樣的命運翻轉，才讓它快速發展，進而取代安平港，成為臺灣第一大港呢？

高雄之最

早期打狗港開放作為通商港口後，許多外商紛紛來設立貿易據點，英國更在此設立領事館

高雄必吃

海產、烤小卷、旗山香蕉、甲仙芋頭冰、岡山羊肉爐

高雄必遊

紅毛港文化園區、駁二藝術特區、西子灣、打狗英國領事館文化園區、哈瑪星鐵道文化園區

高雄大事紀

❶ **1603 年**▸陳第〈東番記〉提到「打狗嶼」，是文獻中打狗地名的首次登場。

❷ **1683 年**▸清帝國將臺灣納入統治，在高屏地區設置「鳳山縣」。

❸ **1860 年**▸打狗港開港通商，地位形同臺南安平港的副港。

❹ **1901 年**▸橋頭糖廠設立，為臺灣第一座機械化新式糖廠。

❺ **1908～1912 年**▸打狗港第一期築港計畫，並填海造陸開發「哈瑪星」等新興市區。

❻ **1920 年**▸打狗正式更名為「高雄」。

❼ **1912～1937 年**▸高雄港擴充重工業及軍工業，打造為日本帝國的南進基地。

❽ **1958 年至 1970 年**▸在美援支持下，政府推動「十二年擴建計畫」，讓高雄港成功復甦，設立臺灣第一個貨櫃碼頭，以及第一個加工出口區。

❾ **1999 年**▸高雄港登上世界第三大港，運量達到 700 萬標準貨櫃。

❿ **2010 年**▸高雄縣與已於 1979 年成為直轄市的高雄市合併，仍名為高雄市。

赫赫有名的安平港，靠打狗港轉運？

高雄因為具有地理優勢，成為南臺灣重要的港口。高雄港的入口處，是由相對峙的壽山和旗後山形成的峽口，船隻可以沿著峽口進入潟湖避風，也可以沿著水道，深入高雄的平原地帶，早期甚至可以抵達左營跟鳳山等地。

由於港口非常便利，高雄很早就發展成聚落。在清帝國治理時期，臺南以南的地區劃設為「鳳山縣」，當時的高雄港，就叫做「打狗港」。打狗這個名字根據專家的研究，應該是來自平埔族語地名的音譯。早期的打狗港是什麼樣子呢？ 1871 年有一個蘇格蘭攝影師約翰．湯姆生（John Thomson），跟他的傳教士朋友一起從打狗港上岸後，拍下史上第一組打狗港的照片。從照片上，可以看見還沒有經過人工改造的打狗港天然地形。

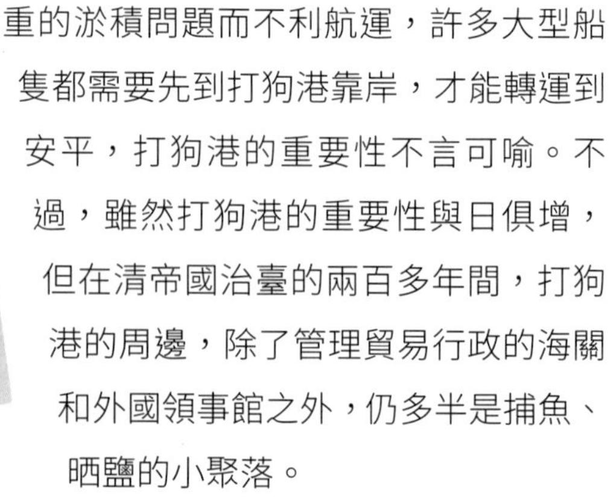

到了十九世紀，清帝國因為在英法聯軍的戰役中輸得一塌糊塗，只好簽訂〈天津條約〉，被迫開放四個臺灣港口通商，而打狗港是最南邊的一個。當時另一個也在開港之列的安平港，已有嚴重的淤積問題而不利航運，許多大型船隻都需要先到打狗港靠岸，才能轉運到安平，打狗港的重要性不言可喻。不過，雖然打狗港的重要性與日俱增，但在清帝國治臺的兩百多年間，打狗港的周邊，除了管理貿易行政的海關和外國領事館之外，仍多半是捕魚、晒鹽的小聚落。

日治時期奠定發展基礎

到日治時期，打狗港總算有了起飛的機會，而躍升的關鍵跟「糖」有關！原來在日本政府治理臺灣之前，每年都要花費上千萬日圓，向外國購買砂糖。因此，日本在取得臺灣之後，最重要的一件事，就是讓臺灣成為日本帝國的砂糖製造機！為了能更有效率的輸送南臺灣的砂糖到日本，需要一座現代化的大港口。於是總督府在打狗港進行一連串的「築港計畫」，用填海造陸的工程增加港口土地，並拉出鐵道，讓港口的貨物運送更方便。

當時管理港口事務的政府機關，以及做生意不可或缺的銀行全都集中到港邊，而原本樸素的打狗港，也因為這些現代化的商業活動而迅速發展。1920 年，總督府更以和「打狗」臺語讀音相近的日文讀音 Taka-o，把這裡改名為「高雄」，從此高雄這個地名也沿用至今。當時高雄港有定期航線通往橫濱、大阪、名古屋、廣東、天津、朝鮮、南洋等地，將臺灣的米、糖、香蕉、鳳梨等特產輸入日本國內，也外銷到亞洲各地。

以前港邊臨海鐵路經過的地方，被人們叫做「哈瑪星」，是日文「濱線」的意思。哈瑪星、旗津與鹽埕地區因為鄰近港口，順勢成為日治時代高雄最熱鬧的市街及政治經濟中心，一些政府單位，像是臺南廳打狗支廳廳舍、高雄郡役所、高雄街役場、高雄市役所都設立於此。

後來，因應日本帝國向南洋地區的擴張，高雄港開始發展造船、鋼鐵、煉鋁、煉油等重工業，提供帝國日益龐大的軍事和工業需求。不過，由於高雄港當時傾力發展軍工業，導致這裡曾在二次世界大戰期間遭到美軍空襲猛烈轟炸；到了戰爭後期，為了防止敵軍入港，日軍甚至自己炸毀船隻，用沉船來堵塞港道，也因此戰後的高雄港可說是滿目瘡痍，整整花了十年的時間才清理乾淨。

即使如此，提及高雄都市化的基礎，仍然得歸功於日治時代的建設。1930年，臺灣總督府以完整的棋盤式及環狀道路系統，作為高雄新市區的規劃目標，雖後來爆發太平洋戰爭而來不及實施，但到了中華民國政府播遷來臺，仍以日治時期所規劃的棋盤式道路網為基礎，並加以拓建。其中，最為人知的莫過於那十條可以「從一數到十」的主要東西向道路，由南至北依序為「一心路、二聖路、三多路、四維路、五福路、六合路、七賢路、八德路、九如路、十全路」，這些道路圍起來的區域就是高雄的中心！

起飛的高雄市

到了 1960 年代，全球海運產業進入了「貨櫃時代」。以前，各種貨物散裝在船上，需要耗費很多時間、人力來搬運，但標準化的大貨櫃，可以將大量貨物裝載成一櫃一櫃，在輪船、倉庫、卡車之間運送，又快又方便。

而擴建後的高雄港，是臺灣最適合發展貨櫃海運的港口，政府也陸續在高雄港周邊設立工業區和加工出口區，把鋼鐵、石油、造船等需要進口原物料的重工業，都集中在高雄港。高雄港優越的地理位置，讓港口的貨櫃營運量一度高居世界前三名；而重工業的建設，也在高雄創造大量就業機會，吸引南部其他縣市，甚至是離島澎湖的人口湧入高雄，進一步促進高雄的都市化。說起來，整個高雄市的發展，是由高雄港的繁榮帶動起來的。果然，這裡真的是名符其實的「港口之都」啊！

駁二藝術特區與哈瑪星

「駁二」原意是「第二號接駁碼頭」，所以，現在的高雄駁二藝術特區，日治時期其實是用來存放出口貨物的碼頭倉庫。

至於位於駁二藝術特區旁的哈瑪星，原本則是一片海域。日治時期，為了在高雄設立港口，疏通航道，所以利用淤泥填海而成的。當時哈碼星一帶都是新生地，周圍由於有濱海鐵路，無論是漁港、漁市場或是港口交通運輸都十分方便，也因此曾是高雄的政治經濟中心，日本政府更在此地設立臺南廳打狗支廳廳舍、高雄市役所等。

隨著戰後的港口重點，轉往前鎮一帶發展，曾經輝煌的哈瑪星、鹽埕沒落了，而碼頭的倉庫也因此廢棄閒置。

直到 2000 年，高雄市政府重新規劃駁二碼頭，決定加以活化，在復古的日式碼頭倉庫裡，舉辦各種新潮的藝術展覽，或是盛大的音樂祭活動，逐漸發展為南臺灣一大重要的新創藝術展示園區。哈瑪星也朝觀光方向發展，並因興建捷運形成新的商圈。如今，新生後的駁二特區和哈瑪星，已經變成認識新舊高雄特色的好地方了！

■ 日治時期哈碼星街景，可見當時繁榮景況。

§第十七章§

小市街變大都會，締造傳奇的臺中市

在清帝國治理時期，中臺灣最熱鬧的地方其實不在臺中，而是在彰化縣城和「一府二鹿三艋舺」中的「二鹿」——鹿港。

從地形上來看，臺中是一塊南北向的寬闊盆地，東側接近頭嵙山地，西側則與大肚臺地相鄰，南北兩端各有烏溪和大甲溪流經。早期因為缺乏船隻可以直達的港口，所以沒有辦法像臺南、臺北等地，發展出較有規模的聚落。風水輪流轉，後來讓臺中出現命運大轉折的契機究竟是什麼呢？

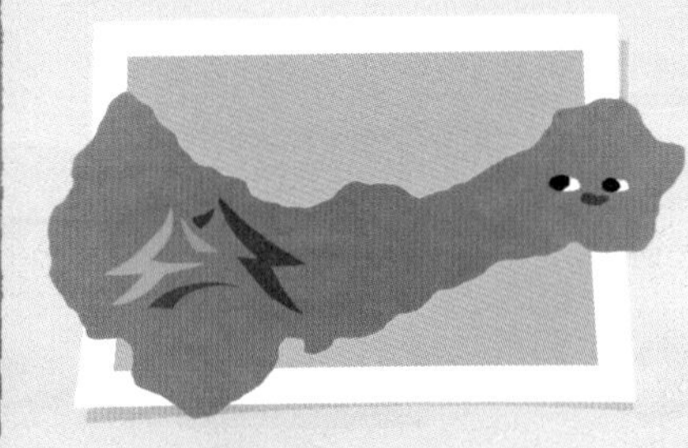

臺中之最

臺中曾出現一個跨部落聯盟，由拍瀑拉族與巴布薩族、巴則海族等部族組成的大肚王國，由甘仔轄．阿拉米統理

臺中必吃

太陽餅、鳳梨酥、雪花餅、奶油酥餅、麻薏

臺中必遊

臺中舊火車站、臺中州廳、臺中市役所、高美濕地、犁頭店老街、彩虹眷村

臺中大事紀

❶ **1600 年~1700 年** ▸ 臺灣中部為平埔族大肚王國。

❷ **1732 年** ▸ 發生「大甲西社事件」，清兵與岸裡社合作擊敗，岸裡社成為臺中盆地勢力最大的平埔社群。

❸ **1887 年** ▸ 劉銘傳計畫在臺灣中部興建省城，做為臺灣的行政中心，最終未實際運作。

❹ **1890 年代** ▸ 因軍功起家的霧峰林家取得樟腦外銷權而致富，成為中臺灣首屈一指的豪門。

❺ **1900 年** ▸ 臺灣總督府推動臺中都市計畫，從零開始將臺中打造為新興城市。

❻ **1908 年** ▸ 南北兩端的縱貫線鐵路於中部接軌，鐵路通車儀式在臺中公園盛大舉行。

❼ **1912 年** ▸ 因應臺中盛產黃麻，臺灣製麻株式會社設立於豐原，至今臺中人仍有吃麻薏的特殊文化。

❽ **1915 年** ▸ 在中部仕紳的支持下成立臺中一中，是第一所屬於臺灣人的中學。

❾ **1915~1925 年** ▸ 先後成立「青果同業組合」與「臺灣青果株式會社」，總部皆設於臺中，經營水果外銷事業。

❿ **2010 年** ▸ 臺中縣、市合併，升格為直轄市。

大墩與「臺灣省城」地位失之交臂

在清帝國治理時期，臺中開始出現聚落，比較熱鬧的地方有兩個，一是在靠近大甲溪的豐原地區，那裡因為漢人與平埔原住民合作開發水圳，成為富庶的農墾村莊；另一處是位於南屯地區，因買賣農耕器具而興起的「犁頭店街」。

今日臺中火車站附近的核心市區，當時的名字叫做「大墩」，這個名字的緣由是因為當地有個醒目的大土堆，就是今日臺中公園裡的砲臺山。雖然大墩市街的米穀買賣很熱絡，但比起南邊的彰化縣城，以及臨海的繁華鹿港，熱鬧程度還是差得遠。直到 1887 年，大墩突然得到一個可以大展鴻圖的機會 —— 原來當時臺灣的最高長官劉銘傳看上這塊地方，他認為除了原有的臺南、臺北城之外，在臺灣中央應該也要有一座新的「臺灣省城」，可以做為未來臺灣的行政中心。而大墩街附近地形開闊、風水絕佳，正是適合的地點。

只是，建造臺灣省城的計畫很快就面臨施工瓶頸，由於臺中缺乏港口，運送磚石材料很麻煩，過了好幾年，才勉強在大墩的東南方蓋出四面城牆。而且，清帝國不久之後就在甲午戰爭敗給日本，臺灣從此被割讓給日本，臺中成為臺灣省城的計畫也化作泡影。

大墩轉身成為「臺灣小京都」

不過，新入主臺灣的日本政府也在尋覓適合的地方，設立中臺灣的施政機關「民政支部」，負責調查的日本官員，建議三個地點：

第一個是「鹿港」，這個傳統的大市鎮，是中臺灣有名的大港口，或許能可以再進一步開發。

第二個是「崁仔腳」，就是今天的臺中大肚區一帶，這裡是大肚溪旁的交通要道，但幾乎沒有任何建設，必須從零開始。

第三個是「大墩街」，以地形來說，或許是中臺灣最適合建立城市的地方，但當時只有劉銘傳時代留下的城牆，附近更只有不到三百戶人家，舉目望去，大部分都是水田。

起初，日本官員希望民政支部能迅速發揮影響力，因而打算設在人口密集的彰化縣城裡，但當時彰化縣城附近的八卦山，還躲著許多抗日民兵，為了安全考量，總督府只好把民政支部遷到大墩街，並改名為「臺中街」，後來「臺中」成了城市與行政區的名字。

1900 年，總督府著手打造新城市，採用英國工程師威廉．巴爾頓（William Burton）的規劃，設計四十五度的棋盤式街道，奠定現在臺中市街的基礎模樣。總督府還蓋起官廳、郵局、法院、市場、公園、醫院等現代化的城市設施，街上也蓋起各種日式建築，讓臺中成為一座有日本風味的城市，當時到過臺中的日本人，甚至把這裡形容為臺灣的「小京都」！而臺中的城市雛形也在日治時期實行市區改正後逐漸形成。

■ 1911 年建造的臺中市役所原先是臺中公共埤圳聯合會事務所，後來改為行政官署。仿巴洛克式建築風格是不是很美呢？

迅速發展的臺中

臺中的發展，更與日本政府積極建設縱貫鐵路密切相關。當時負責臺灣縱貫線鐵道規劃的技師長長谷川謹介，歷經多年努力，終於在 1908 年 4 月 20 日將臺灣南北兩端鐵路在中部接軌，全線通車，臺中也從此成為西部縱貫線的中心。同年 10 月 24 日臺灣總督府更在臺中公園盛大舉辦「縱貫鐵道全通式」慶典。日本皇室還特別派出載仁親王來臺主持典禮。為了迎接載仁親王，便在臺中建設了「湖心亭」，作為親王在通車典禮時的「休憩所」，這場慶典也成為日本治臺五十年來最大的盛會之一。

積極建設後的臺中，取代了彰化成為中部的新興城市，也是中臺灣最重要的商業城市。1909年日本政府將彰化廳併入臺中廳;到了 1920 年，又合併南投廳，改為臺中州，並設立臺中州廳與臺中市役所。就連第一家由臺灣人集資成立的銀行「彰化銀行」，總部也設在臺中市區。明明叫做彰化銀行，為什麼總部會設在臺中呢？其實，彰化銀行一開始確實在彰化成立，但因為後來臺中城市發展迅速，才在 1910 年將總部遷到臺中。

日治時期的臺中，最興旺的生意莫過於水果外銷了。當時全臺灣有百分之四十的香蕉、百分之七十的鳳梨出產於中臺灣，當時臺中有兩大水果貿易組織，一個是臺中、臺南、高雄三地水果業者組成的「臺灣青果同業組合聯合會」，另一個是獨占日本市場的「臺灣青果株式會社」，這兩家公司每年銷售的水果金額高達上億日元！

在教育上，臺中也引領風騷，設立了第一所以臺灣人為主的中學——「臺灣公立臺中中學校」，也就是現在的「臺中一中」。校內現存的創立紀念碑，就驕傲的寫著：「吾臺人初無中學，有則自本校始。」意思就是「臺灣人本來沒有中學，是從我們學校開始有的！」

當時在日治初期，許多臺灣學生都只能讀完小學。直到 1915 年「臺中中學校」設立，才改變了這個不公平的現象。雖然到了 1922 年以後，全臺逐漸增設中學，但大部分的「一中、一女」還是日籍學生居多，只有臺中一中當時是臺灣人學生比日本人學生還多，至今這所學校還依舊是臺中人的驕傲呢！

歷史故事延伸影音

Taiwan Bar -【故事 · 臺中第 5 集】

臺中曾經的蛋黃區？中區居然快死掉又活過來！

§第十八章§

從農業大縣變身國門之都的桃園市

在六都中，哪個城市的人口增加最快呢？答案不是首都臺北，也不是臺中或高雄，而是身為國家門戶的桃園市，這裡也是六都中族群比例最多元的都市。

以前，桃園曾被譽為「千塘之鄉」，擁有豐富的陂塘資源，灌溉出富饒的農產。後來又因國際機場選址於此，而成為外國朋友踏入臺灣的第一站。從千塘之鄉到國門之都，桃園市曾經發生哪些有趣的故事呢？

桃園之最

桃園最早的陂塘可以是1741年打造的龍潭大池；最大的陂塘是觀音大坡腳埤

桃園必吃

客家土雞沾桔醬，梅干扣肉、紅燒豆腐、草仔粿

桃園必遊

大溪老街、大溪木藝生態博物館、桃園機場

桃園大事紀

❶ **1727～1733 年** ▶ 閩粵移民來到八里至桃園沿海一帶建立村莊。

❷ **1733 年** ▶ 龜崙山道開通，方便桃園居民從陸上往返當時北部最大的漢人聚落新莊。

❸ **1741 年** ▶ 有文獻記載的第一座陂塘設立。

❹ **1803 年** ▶ 北部的林本源家族入墾桃園大溪地區，發展大漢溪河運。

❺ **1890 年至 1900 年間** ▶ 大溪成為北部山區樟腦、茶葉等貨物的集散地，長期經營的林本源家族亦因此累積驚人財富。

❻ **1916～1923 年** ▶ 桃園大圳完工，改善北桃園地區的農業灌溉，但也使大漢溪逐漸失去河運功能。

❼ **1956～1964 年** ▶ 石門水庫完工，供應新北、桃園及北新竹的大量民生用水。

❽ **1960～1970 年代** ▶ 中壢、龜山等工業區先後設立，使桃園從農業縣市開始轉型為工商業縣市。

❾ **1979 年** ▶ 桃園機場正式啟用，至今已成為臺灣最重要的國際機場。

❿ **2014 年** ▶ 成為六都中最後一個升格的直轄市。

從前從前，桃園是千塘之鄉

桃園的地形，原本是由「古石門溪」沖積而成的平原，但在三萬多年前，因為劇烈的斷層作用，使得臺北盆地下陷。由於水會往低處流，所以本來流向南崁的古石門溪因此改流向北匯入淡水河，成為後來的「大漢溪」，而原本的沖積扇平原因為地勢抬升，形成「桃園臺地」。

臺地的表層土壤是一層貧瘠黏性重的紅土，地面上的水分很難滲透到地底下，所以桃園一帶十分缺乏地下水源。但大約從十八世紀開始，來自福建、廣東各地的漢人移民湧入，他們反而利用桃園臺地紅土透水性低，以及北臺灣全年有雨的環境條件，挖築大量陂塘來儲水，彌補水源不足，並開發水圳，連通分散的水池，改善了取水的困難。靠著陂塘發展農業，桃園臺地上出現兩個聚落，一個是以漳洲移民為主的「桃仔園」，就是今天的桃園區；另一個是以客家移民為主的「澗仔壢」，就是今天的中壢區。

■ 全盛時期桃園有將近一萬座陂塘。

發源大溪的板橋林家

除了開發臺地，移墾者的腳步也持續向桃園東南側的沿山地帶推進。當時人們可以靠著大漢溪，把桃園沿山地帶的貨物，運送到臺北的「艋舺」，甚至經由淡水河銷往海外。因此，在大漢溪上游的河階地興起一個引人注目的聚落，就是今日的「大溪」，舊稱「大姑陷」，後來改名為「大姑崁」。

早期大溪是農業聚落，主要是泰雅族的勢力範圍。對外交通以航運為主，設有碼頭古道連結大漢溪和老街，大溪所產的米、茶及樟腦等，都是經由這條碼頭古道搬運裝載上船，接著運往下游的艋舺、 大稻埕，再從滬尾（今日淡水）送往國外，因此轉為商業聚落。

在大溪經商最成功的莫過於臺灣前五大家族之一的板橋林家，他們原先居住在今日新莊一帶，後來因為泉漳械鬥緣故，舉家遷往大溪拓墾，因而帶動了大溪的發展。林家後來還在臺北、宜蘭、桃園一帶置產，商業觸角更延伸到板橋一帶，成為眾所皆知的「林本源家族」。

林本源家族是何許人也？也許你沒聽過這個名號，但是今日分行遍布全臺的「華南銀行」，以及板橋的林家花園都跟它有關。其實「林本源」是他們家族使用的「墾號」，這個家族在大溪經商累積龐大財富，後來才成立銀行，成為全臺灣最富有的家族之一。

在清帝國統治臺灣的最後幾年，林本源家族與官府密切合作，林家更曾捐款興建臺北城，也曾經捐助 50 萬兩給劉銘傳協助處理清法戰爭的善後重建。因而官府也把「撫墾總局」這個處理沿山地帶事務最重要的政府機關設在大溪，由林家大家長「林維源」擔任負責人，還讓他兼任管理北路撫墾局。此時大溪及碼頭的發展達到空前繁榮，可見這個家族的地位及影響力。到了日治時期，日本政府清查臺灣有錢人的家產，排名第一的就是板橋林家第四代的林維源，資產高達 1 億 1000 萬元呢！

日治時代的大溪，一直都是大桃園地區最繁榮的聚落，直到 1924 年「桃園大圳」建成之後，因為大圳引大漢溪灌溉桃園臺地，大漢溪的水流量跟著銳減，也讓大溪失去航運功能而逐漸沒落。

成為國門之都

在桃園大圳的灌溉下，戰後初期的桃園，農產品的產量極為充足，可說是北臺灣最重要的糧食供應地。不過，讓人好奇的是，原本以農業發展為主的桃園市，為什麼後來轉向發展工商業，甚至還一躍成為「國門之都」呢？

這當然得從桃園國際機場的建設說起。

事實上，在桃園機場蓋好之前，國際航班都是從臺北的「松山機場」出入臺灣，但隨著航班運量不斷提升，受限於狹窄地形的松山機場漸漸無法負荷，只能趕緊規劃建造一座新的大型國際機場來取代松山機場。這座新機場最好有廣大的腹地，又不能離臺北都會太遠，桃園西北邊靠海的「大園區」就成了最符合條件的地方。

1979 年，桃園國際機場正式啟用，它的優勢在於從桃園出發前往東亞各大主要城市，飛行時間平均只要 2.5 小時，是東亞最佳航空轉運站。如今，桃園機場每年起降二十四萬架次航班，運載超過四千萬人次，如此可觀的流量，即使與全球所有機場相比，也是名列前茅。

國際機場的大型建設，改變桃園的交通生態，由於空運的便利性，許多廠商選擇就近在桃園工業區設廠，尤其以需要掌握時效的科技工業，更是前仆後繼的加入，也讓桃園市逐漸從農業重鎮，轉型為工商業都市。因為工商業發展的人力需求，以及距離機場國門最近的特性，桃園近年來成為全臺灣聚集最多外籍移工的地方，再加上這裡的房價相對較臺北市和新北市低，交通又方便，吸引了許多甫成家的年輕夫婦在此置產，再通勤至雙北地區上班，讓桃園市搖身一變成為在六都中人口成長最亮眼、也是最有活力的都市喔！

■ 桃園國際機場原名中正國際機場，是到 2006 年才改名為桃園國際機場。

§第十九章§

臺灣第一大城——新北市

你知道嗎，如果在臺灣隨機抽出六個人，可能就有一個人住在新北市！

目前新北市的總人口逼近四百萬人，已是全臺灣人口最多的第一大城。新北市舊名臺北縣，是在2010年才升格為六都之一。這個城市依山傍海、幅員廣大，南至烏來的棲蘭山，北到富貴角，東邊是三貂角，西邊則到淡水河的出海口，可以說幾乎整個北臺灣都屬於新北市的範圍喔！

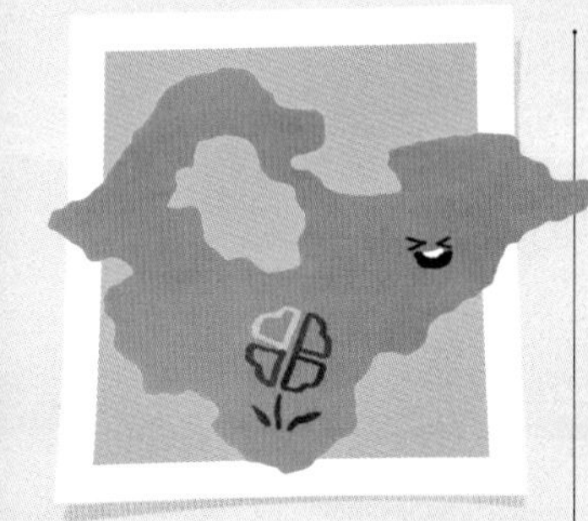

新北市之最

全臺灣人口數最多的行政區

新北市必吃

富基漁港海鮮、九份芋圓、淡水阿給、淡水魚酥、三峽金牛角麵包

新北市必遊

淡水、富貴角燈塔、野柳地質公園、烏來溫泉、平溪天燈

新北市大事紀

❶ **2000～400年前** ▶ 臺灣史前人類發展出煉鐵技術遍布北臺灣，以新北市的十三行遺址來命名為「十三行文化」。

❷ **1400～1683年** ▶ 淡水和雞籠（今日基隆）因位於航海必經之地而頻繁出現於各國文獻中。

❸ **1684至1730年** ▶ 閩粵移民在淡水河畔建立起第一個漢人的繁華村落「新莊」。

❹ **1740年** ▶ 大臺北盆地南側的擺接平原亦興起聚落，為今日新北市板橋區。

❺ **1800～1900年** ▶ 除了農作外，亦有甘蔗、茶葉、香花等多種經濟作物。

❻ **1925年** ▶ 連通新北與臺北的臺北鐵橋完工。

❼ **1945～1968年** ▶ 歷經幾次行政區的分離與合併，臺北縣的範圍大致確立，包括29個鄉鎮市區，與今日的新北市相當。

❽ **1980年** ▶ 臺北縣人口超越臺北市，正式成為臺灣人口第一大縣市。

❾ **1990年** ▶ 臺北縣人口突破三百萬人，多數集中於淡水河沿岸的蘆洲、三重、板橋、中和、永和等區域。

❿ **2010年** ▶ 臺北縣升格為直轄市，並更名為「新北市」。

新莊是北臺灣最早開發的市街

淡水河口是新北市的歷史起點，在距今大約兩千年前，現在的新北市八里區十三行博物館附近就開始有史前人類居住。考古學家從十三行文化遺址挖出的文物中已發現煉鐵殘渣，也有一些金銀銅所製作的裝飾品、玻璃珠，還曾挖出獸骨、魚骨和碳化稻米、種子等，顯示此地的史前人類，已有相當完整的文明發展軌跡。

到了有文字記載後，新北市更早於臺北市，成為北臺灣發展的起點。早在荷西時期，大屯山與觀音山就是指引海上船隻進入「淡水港」的重要指標。淡水港也是早期北臺灣最重要的出海港，西班牙人和荷蘭人都曾在能眺望河口的丘陵地上建立堡壘，就是我們熟知的「紅毛城」。

到了清帝國統治臺灣之後，清帝國政府最早是在淡水對岸的八里設立行政機關，由淡水營守備駐防八里坌，後來又設立八里坌巡檢，掌控這個出入臺北的戰略要地。不過後來因為在英法戰爭慘敗，因此簽訂了天津條約，並在 1862 年首先開放滬尾（今日的淡水）作為通商口，從此開啟了淡水港的輝煌時代。

後來清帝國政府設立「滬尾砲臺」鎮守港口；沿著丘陵而下，在古色古香的巷弄中，還有馬偕醫師曾經行醫救人的診所。除此之外，漢人移民的媽祖信仰「福佑宮」、英商輪船公司的「道格拉斯洋行」，以及日治時代淡水街長曾住過的「多田榮吉故居」，都座落在淡水小鎮上！

沿著淡水河，進入臺北盆地及周遭的平原，在新店溪與大漢溪西側的山腳平原，漢人移民建立起名為「興直莊」的聚落，這也就是現在的「新莊」。當時人們除了在新莊開墾土地、停泊大船，也可以直接從新莊出發，翻越新北與桃園交界的龜崙山，進入桃園臺地；或者是沿著大漢溪，深入樹林、土城、三峽一帶。交通便利讓新莊成為北臺灣最早開發的市街。可惜後來新莊河畔因為淤積嚴重，港口功能逐漸被淡水河東岸的「艋舺」取代，而新北市的商業聚落也轉往南邊腹地更廣大的「擺接平原」（擺接為平埔族語，位置約在今日的土城、板橋、中永和至三峽一帶）。

新北市居然有比臺北城還早蓋好的「城」？

在清帝國時期，新北市的發展一點兒也不遜於臺北市，在擺接平原西側地帶，地勢低窪、溝渠縱橫，得搭建木板橋來方便通行，久而久之，人們就把那附近的聚落稱為「枋橋」，就是現在的「板橋」。赫赫有名的「林本源家族」最早也是從新莊出發前往大溪，經營有成之後，再回到板橋定居。

林本源家族在板橋建造了美輪美奐的大宅邸，就是大家所熟知的「板橋林家花園」。這個家族甚至圍繞著林家花園蓋了一座「板橋城」，位置大約在今日板橋區西門街、南門街、北門街與館前西路圈起來的範圍，建城時間比臺北城還早了三十年！只可惜舊板橋城在 1901 年就被拆除，遺跡已經不可見。

繞著臺北生活的衛星都市

到了日治時時，日本人想把臺北打造為統治臺灣的核心城市，將資源大量集中在臺北，才漸漸拉開臺北與新北的差距。當時新北市被定位為輔助臺北都市發展的「衛星城鎮」。由於當時臺北市大稻埕的製茶產業相當出名，有一種製茶技術是利用香氣馥郁的花種為茶葉添加花香，通常會使用茉莉花、秀英花、黃梔花等花種來做為香花，因而政府便在新北市的三重、新莊、板橋等平原地區，廣植這些香花，支援臺北市的製茶產業。

自日治時期至戰後，新北市一直扮演著臺北市最重要的衛星城鎮角色。1970年代，臺灣經濟開始起飛，新北市也從城鎮快速發展為「衛星都市」。當時臺北市的工商業發展，開始擴散到了鄰近的新北市，成立了許多食品、紡織、機械、化學、電子製造等工廠，需要大批工人投入生產。此時剛好是眾多中南部的年輕人紛紛北上尋求更多工作機會的年代，不少人就到新北市謀生，補足工廠的勞動力。

其中，連接臺北市大同區和新北市三重區的「臺北橋」，就是當年「北漂族」的聚集地標。然而不管是在臺北或新北工作的年輕人，居住落腳地往往都是房價、物價較低的新北市，再通勤到臺北市區上班，這個景況一直持續到今日！

■ 臺北市、新北市與基隆市涵蓋首都生活圈，彼此生活相互影響。

除了中南部北上來的島內移民人口，新北市後來聚集了許多戰後就跟著中華民國政府來到臺灣的外省移民，這也讓這個城市添入不少歧異的性格與文化。像是早期發展的三重、蘆洲，聚集了眾多來自雲嘉南鄉鎮的移民;而新店、中和、永和，則是外省移民較為集中。即使經過數十年的變化，你還是能夠感受到不同移民聚落有著不同的風貌。

今日的新北市，不但具有高度都市化的一面，部分區域也依舊保留著有鄉間風情與自然山川風貌，地景樣貌極為豐富多元，人口組成及經濟產業更具多樣性。光是新北市政府所在的板橋區，人口數就高達五十五萬人，比全臺灣一大半縣市都還要多。即使仍扮演著後援臺北市的衛星都市角色，但新北市所擁有的資源和影響力已在全臺灣舉足輕重，絕對是一個值得花時間去細細了解的有趣城市喔！

你聽過「三重埔大學」嗎？

三重埔其實就是今日新北市三重區舊稱，「埔」是平原的意思，早期的漢人移民從新莊一帶往北部拓墾，稱第三個平原地帶為三重埔。距離臺北市區只有一水之隔的三重，因為地緣關係，成為臺北市區的衛星城市，吸引了大量人口在此定居。

在下水道系統尚未完善前，大臺北的居民吃喝拉撒製造出來的「水肥」，就已經多到沒地方放了！因此在靠近淡水河的「三重埔」就曾挖掘好幾座大型水肥池，來堆放大臺北都市地區生產出來的水肥。水肥經過消毒後，會轉賣給農民做肥料之用，一舉兩得！

這種水肥池叫「大礐」，用臺語唸起來和「大學」很像，老一輩的人會開玩笑說，不好好讀書的話，以後要去讀「三重埔大學」，就是指要去做挑水肥的粗重工作，後來也延伸為「到社會底層工作」的意思。但其實「三重埔大學」曾養活無數家庭，也創造許多經濟價值！

§第二十章§

「天龍國」臺北市的身世之謎

說到六都，大家第一個想到的，通常是臺北市。畢竟它早在 1968 年就成為臺灣第一個直轄市，又是中央政府所在地，有著「首善之都」的稱號，也被建設成臺灣最高規格的城市。雖然媒體常戲稱臺北是「天龍國」，嘲諷臺北人永遠以臺北本位思考，不知臺北之外生活的意味。但在許多外國人的眼中，國際知名度最高的「臺北市」也幾乎等同於「臺灣」的代名詞，也是眾多年輕人最嚮往的都市。

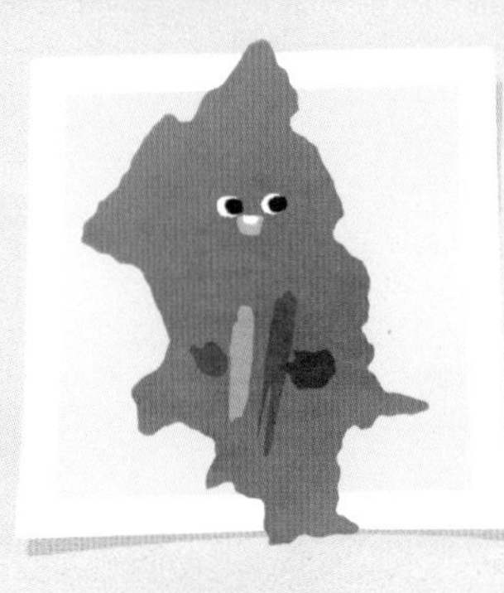

臺北市之最

臺灣首都、臺灣第一個直轄市、臺北 101 為全臺最高建築物

臺北市必吃

芒果冰、小籠包、牛肉麵、木柵鐵觀音、阜杭豆漿

臺北市必遊

士林夜市、貓空纜車、臺北市立動物園、故宮博物院

臺北市大事紀

❶ **1500 年至 1600 年** ▶ 北海岸到臺北盆地遍布凱達格蘭族平埔原住民番社。

❷ **1654 年** ▶ 荷蘭人繪製〈大臺北古地圖〉，標記凱達格蘭族番社位置，證實當時已有少數漢人在大臺北地區活動。

❸ **1694 年** ▶ 臺北可能發生一場大地震，使臺北盆地下沉，成為一座大湖泊，史稱「康熙臺北湖」。

❹ **1780 ～ 1860 年** ▶ 陸續出現許多閩粵移民聚落，漳州人勢力範圍主要為八芝蘭（今士林區），泉州人則在艋舺一帶（今萬華區）。

❺ **1884 年** ▶ 臺北府城完工，臺灣行政中心由南向北轉移。

❻ **1919 年** ▶ 臺灣總督府（即今日的總統府）落成，成為臺灣權力中心的象徵。

❼ **1944 ～ 1945 年** ▶ 臺灣捲入太平洋戰爭，美、英、中聯軍大空襲，重創臺北市區。

❽ **1960 ～ 1970 年代** ▶ 戰後大量外省及外縣市人口湧入，臺北西區形成商業區。

❾ **1980 ～ 1990 年代** ▶ 臺北市推動「信義計畫區」，東區翻轉為臺北市的精華地段。

❿ **2004 年** ▶ 臺北 101 大樓完工，成為今日最具代表性的臺灣地標。

臺北城的誕生

早在三十年前紅遍全臺的臺語流行歌曲〈向前走〉：「阮欲來去台北打拼，聽人講啥咪好康的攏在那⋯⋯（我要去臺北打拚，聽說什麼好東西都在那裡）」，就曾清楚唱出所有年輕人的「臺北夢」。雖然現在臺灣最便利的交通、最好的醫療院所、最吸睛的摩天大樓，甚至是最新潮的娛樂活動，全都集中在臺北市。不過，臺北市其實只能算是天龍國 2.0 版，因為數百年前，當鄭氏家族在臺南大力開發，設立孔廟、發展各種商業聚落時，臺北市仍十分落後，當時臺南的舊城區才是天龍國呢！

■ 1654 年荷蘭人所繪製的《大臺北古地圖》，地圖尚可看淡水、附近村落與雞籠島。」

不過，也因為臺灣最早開發的地區在南部，所以早期北部遠比南部荒蕪。清帝國治臺時期，有個探險家郁永河準備到今日臺北北投採集硫礦，他也是先在臺南停留，等準備好一切工具才開始北上。當時人們對於臺北落後的狀況沒有把握，在郁永河要出發時，很多人還來勸阻他：「雞籠（現今的基隆）跟淡水的環境非常糟糕，很可能會有去無回……」沒想到郁永河的北投冒險非但沒事，還寫下第一本記錄臺灣北部人文地理的書《裨海紀遊》。相信連郁永河自己也沒想到，那時候環境惡劣的臺北盆地竟然發展成今天的繁華大都會。

從地理上來看，臺北市中心的土地，位在大屯火山群高山地帶南側，是由淡水河與基隆河沖積而成，並歷經地質作用下陷的一塊大盆地。淡水河流域曾有許多原住民聚落聚居，早期臺北最熱鬧的聚落「艋舺」（今日萬華區），地名便是原住民語中的「小船」之意。在清帝國入主臺灣之後，漢人也沿著淡水河進入盆地，並利用淡水河便利的航運，開闢出漢人的聚落和市街。

當時還沒有一座叫「臺北」的城市，臺北只是「臺灣北部地區」的統稱，廣義來說，大甲溪以北都算是「臺北」。直到十九世紀中後期，淡水河流域的樟腦、茶葉貿易日漸興盛，許多外國商人來到臺灣買賣，官府要處理的政務越來越繁雜，最後，才把現在的大臺北地區設置為「臺北府」，於是「臺北」這個名號正式誕生。

「三市街」的精華區

1884 年，臺北府城牆圍起來的區域位在艋舺與大稻埕這兩個商業區的中間，也就是今天忠孝西路、中山南路、愛國西路與中華路範圍。在城牆裡稱為「城中」或「城內」。但實際上，當時城中區除了官署衙門以外，大部分還是農田或荒地。

直到日治時期，日本人進入臺北城，開始以城中區域為中心來打造新城市。他們的目標是讓這座城市做為其他城市的模範，更能展現日本統治臺灣的成果。當時的城中區，有最高行政機關「臺灣總督府」，周邊集結重要政府機關、銀行、學校及醫院，還有法院、郵局、銀行、兵營等重要機構，附近也設置許多高級官員的宿舍。可以說，現在總統府周邊的「博愛特區」，早在日治時期就已經形成了。

日本政府還將原本清帝國的城牆拆除，改建成寬敞的三線道，只留下城門。在北側和西側的三線道，有縱貫鐵路經過；在臺北車站前後，以及鐵路途經的「西門町」，則形成相當熱鬧的聚落。當時，臺北城西邊有「艋舺」、北邊有清末以來興起的「大稻埕」，再加上日本人打造的「城中」，這三個聚落合起來稱為「三市街」，是日治時代臺北的精華地區。那時候，住在內湖、南港、士林、北投的人要去三市街一帶，可能會說：「我要去臺北！」因為當時大家心目中的「臺北市」只在三市街的範圍而已。

曾為農地的信義商圈

隨著三市街的蓬勃發展，臺北的範圍也漸漸擴大，北邊一點的大龍峒、圓山、大直地區；南邊一點的古亭，東邊一點的大安區，都慢慢納入臺北市的一部分。

那現在最熱鬧的信義商圈呢？事實上，早期的臺北市「東區」只是市郊的農地。直到 1980 年代，中華民國政府規劃「信義計畫區」，以國際貿易、工商服務業和金融科技產業來領導臺北的產業轉型，才讓原本的一塊塊農地，變成一棟棟大樓，東區也從此躍升為臺北市的精華區。2004 年，矗立於信義區的臺北 101 大樓正式啟用，成為臺北市、甚至是全臺灣最具代表性的地標，更是許多外國遊客來臺灣必定到訪的景點呢！

在臺北東區興起以後，過去的西區「三市街」就沒落了。不過，近年來，西區似乎有重返榮耀的跡象喔！ 2016 年，忠孝橋引道拆除，恢復清帝國時期臺北城門開闊的天際線，附近還有整修完成的日治時代鐵道部大樓；從北門踏入城中區，可以走訪精美的「撫臺街洋樓」，以及見證許多重大臺灣歷史事件的「中山堂」。穿過熱鬧的城中市場，來到過去稱為新公園的「二二八公園」，感受歷史記憶與公園地景交融的特殊氛圍，而曾經戒備森嚴的總統府，現在會定期開放參觀，展示著臺灣民主的歷程與成就。

無論是東區的新臺北、西區的舊臺北，不同發展脈絡，交織而成這座城市的獨特風華，有機會不妨跟著歷史導覽，漫步大街小巷，重新品味「天龍國」前世今生，你一定會發現這座城市的更多祕密與迷人之處。

附錄

本書與十二年國民基本教育社會領域課綱學習內容對應表

國民小學中年級教育階段（3-4 年級）

學習主題軸	內涵概念	能力指標編碼與主要內容	對應內容
A. 互動與關聯	b. 人與環境	Ab-Ⅱ-1 居民的生活方式與空間利用，和其居住地方的自然、人文環境相互影響。	全書
		Ab-Ⅱ-2 自然環境會影響經濟的發展，經濟的發展也會改變自然環境。	第一章～第六章
	f. 全球關連	Af-Ⅱ-1 不同文化的接觸和交流，可能產生衝突、合作和創新，並影響在地的生活與文化。	第三章、第四章、第六章、第十章
B. 差異與多元	b. 環境差異	Bb-Ⅱ-1 居民的生活空間與生活方式具有地區性的差異。	全書
C. 變遷與因果	a. 環境的變遷	Ca-Ⅱ-1 居住地方的環境隨著社會與經濟的發展而改變。	全書
		Ca-Ⅱ-2 人口分布與自然、人文環境的變遷相互影響。	全書
	c. 社會的變遷	Cc-Ⅱ-1 各地居民的生活與工作方式會隨著社會變遷而改變。	全書

國民小學中年級教育階段（5-6 年級）

學習主題軸	內涵概念	能力指標編碼與主要內容	對應內容
A. 互動與關聯	b. 人與環境	Ab- III -1 臺灣的地理位置、自然環境，與歷史文化的發展有關聯性。	全書
		Ab- III -2 交通運輸與產業發展會影響城鄉與區域間的人口遷移及連結互動。	全書
		Ab- III -3 自然環境、自然災害及經濟活動，和生活空間的使用有關聯性。	全書
C. 變遷與因果	b. 歷史的變遷	Cb- III -1 不同時期臺灣、世界的重要事件與人物，影響臺灣的歷史變遷。	全書
		Cb- III -2 臺灣史前文化、原住民族文化、中華文化及世界其他文化隨著時代變遷，都在臺灣留下有形與無形的文化資產，並於生活中展現特色。	全書
	e. 經濟的變遷	Ce- III -1 經濟型態的變遷會影響人們的生活。	第七章～第十四章
		Ce- III -2 在經濟發展過程中，資源的使用會產生意義與價值的轉變，但也可能引發爭議。	第七章～第十四章

國民中學教育階段（7～9 年級）

學習主題軸	內涵概念	能力指標編碼與主要內容	對應內容
B. 早期臺灣	a. 史前文化與臺灣原住民族	歷 Ba- IV -1 考古發掘與史前文化。	第七章
		歷 Ba- IV -2 臺灣原住民族的遷徙與傳說。	第七章
C. 清帝國時期的臺灣	a. 政治經濟的變遷	歷 Ca- IV -1 清帝國的統治政策。	第八章～第十一章 第十五章～第二十章

參考書目：

1. 黃清琦等，臺灣歷史地圖，臺北：遠流，2018。
2. 黃美傳，一看就懂臺灣地理，臺北：遠足，2018。
3. 中研院數位文化中心，臺北歷史地圖散步，臺北：臺灣東販，2016。
4. 中研院數位文化中心，臺中歷史地圖散步，臺北：臺灣東販，2018。
5. 中研院數位文化中心，臺南歷史地圖散步，臺北：臺灣東販，2019。
6. 陸傳傑，被誤解的臺灣老地名：從古地圖洞悉臺灣地名的前世今生，臺北：遠足，2014。
7. 翁佳音、黃驗，解碼臺灣史 1550-1720，臺北：遠流，2017。
8. 邱彥貴、吳中杰，臺灣客家地圖，臺北：貓頭鷹，2001。
9. 黃智偉，省道臺一線的故事，臺北：貓頭鷹 2002。
10. 臺灣地理百科系列，臺北：遠足，2003。
11. 新北市文史百科全書，臺北：智慧藏，2010。
12. 陳奕齊，打狗漫騎：高雄港史單車踏查，臺北：前衛，2020。
13. 陳銘磻，國門之都：人文地景紀行之桃園再發現，臺北：聯合文學，2016。

少年知識家

故事臺灣史 3：
20個奠基臺灣的關鍵地點

作　　者｜席名彥
文字協力｜陳春賢、王日清、林欣靜
繪　　者｜慢熟工作室
審　　定｜陳志豪（國立臺灣師範大學臺灣史研究所教授）

責任編輯｜楊琇珊
美術設計｜陳采瑩
行銷企劃｜葉怡伶

天下雜誌群創辦人｜殷允芃
董事長兼執行長｜何琦瑜
兒童產品事業群
副總經理｜林彥傑
總 編 輯｜林欣靜
版權主任｜何晨瑋、黃微真

出 版 者｜親子天下股份有限公司
地　　址｜臺北市 104 建國北路一段 96 號 4 樓
電　　話｜（02）2509-2800　傳真｜（02）2509-2462
網　　址｜ www.parenting.com.tw
讀者服務專線｜（02）2662-0332
週一～週五：09:00~17:30
讀者服務傳真｜（02）2662-6048
客服信箱｜ parenting@cw.com.tw
法律顧問｜台英國際商務法律事務所・ 羅明通律師
製版印刷｜中原造像股份有限公司
總 經 銷｜大和圖書有限公司　電話｜(02)8990-2588
出版日期｜ 2020 年 6 月第一版第一次印行
　　　　　2022 年 9 月第一版第九次印行
定　　價｜380 元
書　　號｜BKKKC149P
I S B N｜978-957-503-609-6（平裝）

訂購服務
親子天下 Shopping｜ shopping.parenting.com.tw
海外 ・ 大量訂購｜ parenting@cw.com.tw
書香花園｜臺北市建國北路二段 6 巷 11 號
電話（02）2506-1635
劃撥帳號｜ 50331356 親子天下股份有限公司

立即購買 >

國家圖書館出版品預行編目 (CIP) 資料

故事臺灣史 . 3：20 個奠基臺灣的關鍵地點
／席名彥著；慢熟工作室繪 . -- 第一版 . --
臺北市：親子天下，2020.06
144 面；18.5×24.5 公分 . --（少年知識家）
ISBN 978-957-503-609-6（平裝）
1. 臺灣史 2. 人文地理

733.21　　109006224

圖片出處：
p.15 By not stated, [Public Domain],via Wikimedia Commons
p.41 By United States. Office of the Chief of Naval Operations, [Public Domain],via Wikimedia Commons
p.49,51,63,98 By Shutterstock.com
p.81 By 寺人孟子 [CC BY-SA 4.0],via Wikimedia Commons
p.84 By Boxer Codex , [Public Domain],via Wikimedia Commons
p.90 By 片山寫真館 , [Public Domain],via Wikimedia Commons
p.112 By 山形屋 , [Public Domain],via Wikimedia Commons
p.115 By 栅邊書店 , [CC BY-SA 3.0],via Wikimedia Commons
p.132 By Joan Nessel, [Public Domain],via Wikimedia Commons